**CURSO
DE ESPAÑOL
COMO LENGUA
EXTRANJERA**

NUEVO
ESPAÑOL
EN MARCHA

CURSO
DE ESPAÑOL
COMO LENGUA
EXTRANJERA

NUEVO
ESPAÑOL
EN MARCHA

LIBRO DEL ALUMNO

Francisca Castro Viúdez
Pilar Díaz Ballesteros
Ignacio Rodero Díez
Carmen Sardinero Francos

Español Lengua Extranjera

SGEL

¿Cómo es *Nuevo Español en marcha*?

NUEVO ESPAÑOL EN MARCHA es un curso de español en cuatro niveles que abarca los contenidos correspondientes a los niveles A1, A2, B1 y B2 del *Marco común europeo de referencia*. También existe una edición con los niveles A1 y A2 en un solo volumen: *Nuevo Español en marcha Básico*. Al final de este primer tomo los estudiantes podrán comunicarse de forma elemental, pero correctamente, en pasado (pretérito indefinido), presente y futuro (*voy a* + infinitivo), y conocerán aproximadamente unas 1000 palabras fundamentales. Además, podrán dar información básica sobre sí mismos y sobre los otros, así como desenvolverse en una serie de situaciones prácticas.

1 Portada
Incluye los contenidos que se van a trabajar en la unidad.

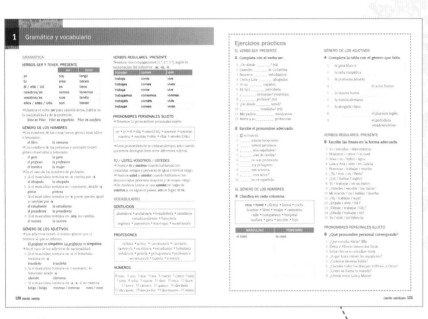

5 Anexos
- Actividades en parejas.
- Gramática, vocabulario y ejercicios prácticos.
- Verbos regulares e irregulares.
- Transcripciones.

4 Autoevaluación
Actividades destinadas a recapitular y consolidar los objetivos de la unidad, y donde se incluye un test con el que el alumno podrá evaluar su progreso según los descriptores del *Portfolio europeo de las lenguas*.

2 Apartados A, B y C

Se presentan, desarrollan y practican los contenidos lingüísticos citados al inicio de cada uno de ellos. Cada apartado sigue una secuencia cuidadosamente graduada, desde la presentación de las muestras de lengua hasta una actividad final de producción. A lo largo de cada unidad, el alumno tendrá la oportunidad de desarrollar todas las destrezas (leer, escuchar, escribir y hablar) así como de trabajar en profundidad la gramática, el vocabulario y la pronunciación, en una serie de tareas que van desde las más dirigidas a las más libres.

3 Apartado D - Comunicación y cultura

Tiene como objetivo desarrollar la comunicación y las competencias tanto socioculturales como interculturales del estudiante. Las actividades están agrupadas según las cuatro destrezas lingüísticas: leer, escuchar, escribir y hablar.

Contenidos

TEMA	A	B	C	D	PÁG.
Unidad 6 **El barrio**	**¿Cómo se va a Goya?** •Comprar un billete de metro. •Instrucciones para ir en metro.	**Cierra la ventana, por favor** •Imperativos irregulares afirmativos. •Dar instrucciones. •Pedir favores: ¿*Puede(s)* + infinitivo?	**Mi barrio es tranquilo** •Describir el barrio donde vivimos. •*Ser* y *estar*. **Pronunciación y ortografía:** /r/ y /rr/.	**Comunicación y cultura** •Ciudades españolas.	**65**
Unidad 7 **Salir con los amigos**	**¿Dónde quedamos?** •Concertar una cita por teléfono. •Quedar con alguien. •Aceptar o rechazar una invitación. •Dejar recados.	**¿Qué estás haciendo?** •Hablar de acciones en desarrollo: *Estar* + gerundio (+ pronombres reflexivos). **Pronunciación y ortografía:** Entonación exclamativa.	**¿Cómo es?** •Descripciones físicas y de carácter.	**Comunicación y cultura** •El tiempo libre de los jóvenes españoles e hispanoamericanos.	**75**
Unidad 8 **De vacaciones**	**Por favor, ¿para ir a la catedral?** •Preguntar e indicar cómo se va a un lugar. •Vocabulario de la ciudad: *farmacia, correos...*	**¿Qué hizo Rosa ayer?** •Pretérito indefinido de verbos regulares. •Pretérito indefinido de verbos irregulares: *ir, ser, estar.* **Pronunciación y ortografía:** Acentuación.	**¿Qué tiempo hace hoy?** •Hablar del tiempo meteorológico. •Los meses y las estaciones del año.	**Comunicación y cultura** •De vacaciones por España.	**85**
Unidad 9 **Compras**	**¿Cuánto cuestan estos zapatos?** •Recursos para ir de compras. •Pronombres personales de objeto directo.	**Mi novio lleva corbata** •Los colores. •Describir la ropa. •Concordancia entre nombres y adjetivos de color. **Pronunciación y ortografía:** /x/ y /g/.	**Buenos Aires es más grande que Toledo** •Hacer comparaciones. •Adjetivos descriptvos de ciudades. •Demostrativos (adjetivos y pronombres).	**Comunicación y cultura** •Ciudades y arte español e hispanoamericano.	**95**
Unidad 10 **Salud y enfermedad**	**La salud** •Las partes del cuerpo. •Hablar de enfermedades y remedios. •Verbo *doler*. •Sugerencias: ¿*Por qué no...?*	**Antes salíamos con los amigos** •Hablar de hábitos en el pasado. •Pretérito imperfecto de verbos regulares. •Pretérito imperfecto de verbos irregulares: *ir, ser, ver.*	**Voy a trabajar en un hotel** •Expresar planes e intenciones: *Ir a* + infinitivo. **Pronunciación y ortografía:** Reglas de acentuación.	**Comunicación y cultura** •El imperio inca. •Escribir un blog sobre un viaje.	**105**

2 Practica con tus compañeros.

- ¡Hola!
- ¡Hola!
- ¿Cómo te llamas?
- Me llamo _____.
- ¿De dónde eres?
- Soy (de) _____.

1 🔵1 Lee y escucha.

Profesora: ¡Hola! Me llamo Maribel y soy la profesora de español. Vamos a presentarnos. A ver, empieza tú, ¿cómo te llamas?
Estudiante 1: Me llamo Marcelo.
Profesora: ¿De dónde eres, Marcelo?
Estudiante 1: Soy brasileño, de Porto Alegre.
Estudiante 2: Yo me llamo Isabelle y soy francesa.

3 Completa el cuadro.

PAÍS	NACIONALIDAD	
	masculino	femenino
1 Alemania	alemán	
2 España		española
3 Brasil	brasileño	
4 Francia		francesa
5 Italia	italiano	

Saludos

¡Hola!

Buenos días

Buenas tardes

Buenas noches

4 🎧 2 Escucha y repite.

VOCALES				
A	E	I	O	U
a	e	i	o	u

CONSONANTES

mayúscula	minúscula	nombre	sonido	ejemplos
B	b	be	/b/	abuelo, bien
C	c	ce	c + a, o, u = /k/ c + e, i = /θ/	casa, cosa, cuatro cerrado, cine
D	d	de	/d/	día, dos
F	f	efe	/f/	fumar
G	g	ge	g + a, o, u = /g/ gu + e, i= /g/ g + e, i = /x/	gato, pago, agua guerrero, guitarra genio, giro
H	h	hache	–	hotel, hospital
J	j	jota	/x/	jefe, jirafa
K	k	ka	/k/	kilogramo
L	l	ele	/l/	león, limón
M	m	eme	/m/	Madrid, mira
N	n	ene	/n/	nada, no
Ñ	ñ	eñe	/ɲ/	niña, año
P	p	pe	/p/	pan, pera
Q	q	cu	qu + e, i = /k/	quince, queso
R	r	erre	/r/ /rr/	pera, Corea, rosa, ramo, arroz
S	s	ese	/s/	casa, sol, paseo
T	t	te	/t/	tomate, tú
V	v	uve	/b/	vaca, ven, vino
W	w	uve doble (doble u)	/u/ o /gu/ /b/	William wolframio
X	x	equis	/ks/	examen, éxito
Y	y	i griega (ye)	/i/ /j/	(Juan) y (Luis) yogur, yo
Z	z	zeta	z + a, o, u = /θ/	zapato, cazo, azul

Conjuntos de letras

CH   ch   (che)   /tʃ/   chocolate
LL   ll   (elle)   /ʎ/   llave, camello, lluvia

5  Escucha.

ca	casa	ga	gato	za	zapato	ja	jamón
que	queso	gue	guerra	ce	cerrado	je / ge	jefe / genio
qui	quiero	gui	guitarra	ci	cine	ji / gi	jirafa / gitano
co	color	go	agosto	zo	zoo	jo	jota
cu	cuatro	gu	agua	zu	azul	ju	julio

6 Lee en voz alta las siguientes palabras.

región	paz	quien
gente	chocolate	catorce
joven	ácido	pequeño
ejemplo	cereza	guitarra

¿Con B o con V?
(En Latinoamérica: *b = be larga; v = be corta*)
Valencia, Bilbao, Isabel, Vicente.

¿Con G o con J?
Genio, rojo, jirafa, gitana.

¿Con H o sin H?
Hotel, agua, huevo, helado.

7 Escucha y señala la palabra que deletrean.

1 ROMERO	☑	RODERO	☐
2 DÍEZ	☐	DÍAZ	☐
3 GONZÁLEZ	☐	GONZALVO	☐
4 RIBERA	☐	RIVERA	☐
5 JIMÉNEZ	☐	GIMÉNEZ	☐
6 PADÍN	☐	BADÍN	☐

8 Pregunta a cinco compañeros su nombre y apellido. Sigue el modelo.

- ¿Cómo te llamas?
- Fabio.
- ¿Con be o con uve?
- Con be.
- ¿Y de apellido?
- Oliveira.
- ¿Cómo se escribe?
- O-ele-i-uve-e-i-erre-a.
- ¿Así está bien?
- Sí, vale.

SÍLABA TÓNICA

Si la palabra lleva tilde, esta indica la sílaba tónica.
café **mé**dico *árbol*

Si no hay tilde, se pronuncia más fuerte la última cuando la palabra acaba en consonante (excepto **n** y **s**).
Madrid *español* *hablar*

Se pronuncia más fuerte la penúltima si la palabra termina en vocal, en **n** o **s**.
jefe *ventana* *examen* *crisis*

9 Subraya la sílaba tónica de las palabras del recuadro.

alemán • alemana • japonés • profesor
estudiante • profesora • brasileño
hospital • estudiar • libro
lección • compañero • madre

10 Escucha, comprueba y repite.

Para la clase

11 Seguro que conoces algunas palabras en español. Relaciónalas con las imágenes.

1 fiesta ☐	6 flamenco ☐	11 salsa ☐
2 hotel ☐	7 tango ☐	12 playa ☐
3 cine ☐	8 bar ☐	13 paella ☐
4 hospital ☐	9 chocolate ☐	14 guitarra ☐
5 restaurante ☐	10 café ☐	15 siesta ☐

12 Escucha y repite.

13 ¿Conoces otras palabras en español?

ANTES DE EMPEZAR

ISLAS CANARIAS

Santa Cruz de Tenerife

Las Palmas

◉ CAPITAL DEL PAÍS
● Capital autonómica
○ Capital de provincia

El español

El español o castellano es la lengua oficial de España y de 19 países latinoamericanos. Es la segunda lengua más hablada después del chino; la hablan más de 450 millones de personas.

El español viene del latín, igual que el francés, el italiano, el portugués y el rumano. En España, también son lenguas oficiales el catalán, el gallego y el euskera.

GENTILICIOS ESPAÑOLES

andaluz / andaluza
aragonés / aragonesa
asturiano / asturiana
balear / balear
canario / canaria
cántabro / cántabra
castellanoleonés / castellanoleonesa
castellanomanchego / castellanomanchega
catalán / catalana
extremeño / extremeña
gallego / gallega
madrileño / madrileña
murciano / murciana
valenciano / valenciana
vasco / vasca

Canadá

OTTAWA

Estados Unidos

WASHINGTON

Océano Atlántico

Océano Pacífico

Mar Caribe

Bahamas
NASSAU
LA HABANA

México

CIUDAD DE MEXICO

Cuba

KINGSTON
Jamaica

Haití

PUERTO
PRÍNCIPE

República
Dominicana

SANTO DOMINGO
SAN JUAN

Puerto
Rico

Barbados

Granada

Trinidad y Tobago

GEORGETOWN

PARAMARIBO
CAYENA

Guayana Francesa

CARACAS

Venezuela

BOGOTÁ

Guyana

Surinam

Colombia

Ecuador
QUITO

Perú

LIMA

Brasil

Bolivia

BRASILIA

SUCRE

Paraguay

ASUNCIÓN

Chile

Argentina

Uruguay
MONTEVIDEO

SANTIAGO
DE CHILE

BUENOS AIRES

México

Belize
BELMOPÁN

Mar Caribe

Guatemala
GUATEMALA
SAN SALVADOR

Honduras
TEGUCIGALPA

El Salvador

Nicaragua
MANAGUA

Costa Rica
SAN JOSÉ

PANAMÁ

Océano Pacífico

Panamá

Colombia

GENTILICIOS HISPANOAMERICANOS

argentino / argentina
boliviano / boliviana
colombiano / colombiana
costarricense / costarricense
cubano / cubana
chileno / chilena
dominicano / dominicana
ecuatoriano / ecuatoriana
guatemalteco / guatemalteca
hondureño / hondureña
mexicano / mexicana

nicaragüense / nicaragüense
panameño / panameña
paraguayo / paraguaya
peruano / peruana
puertorriqueño / puertorriqueña
salvadoreño / salvadoreña
uruguayo / uruguaya
venezolano / venezolana

14 ¿Reconoces estos lugares? Relaciónalos con las fotografías.

Sagrada Familia (España) ☐   Cataratas de Iguazú (Argentina y Paraguay) ☐   Museo Gugenheim (España) ☐

Machu Picchu (Perú) ☐   La Alhambra (España) ☐   La Casa Rosada (Argentina) ☐   Murallas romanas (España) ☐

Playa de Cancún (México) ☐   Plaza el Zócalo (México) ☐   La Giralda (España) ☐

Saludos

1

Hablar

1 Mira las fotos y señala dónde están.

1 En una oficina. ☐   3 En clase. ☐
2 En un hotel. ☐   4 En una cafetería. ☐

Escuchar

2 **Escucha y lee.**

EN CLASE

Isabelle: ¡Hola, Marcelo!, ¿qué tal?
Marcelo: Bien, ¿y tú?
Isabelle: Muy bien. Mira, esta es Ulrike, una nueva compañera, es alemana.
Marcelo: ¡Hola! ¡Encantado! ¿Eres de Berlín?
Ulrike: Sí, pero ahora vivo en Madrid.

EN UN HOTEL

Recepcionista: Su nombre, por favor.
Fernando: Yo me llamo Fernando Álvarez y ella es Carmen Hernández.
Recepcionista: ¿De dónde son ustedes?
Fernando: Somos argentinos, de Buenos Aires.
Recepcionista: Ah, Buenos Aires... Aquí están sus tarjetas, bienvenidos a Madrid.
Fernando: Gracias.

EN UNA OFICINA

Díaz: ¡Buenos días!, señor Álvarez, ¿qué tal está?
Álvarez: Muy bien, gracias. Mire, le presento a Marta Rodríguez, la nueva directora.
Díaz: Encantado de conocerla, yo me llamo Gerardo Díaz, y soy el responsable de administración.
Rodríguez: Mucho gusto, Gerardo.

3 Completa.

EN UNA CAFETERÍA

Luis: ¡Hola, Eva!, ¿_____?
Eva: Bien, ¿_____?
Luis: Muy bien. _____, este es Roberto, un compañero nuevo.
Eva: _____ _____
¿De dónde _____?
Roberto: Soy cubano.

4 **Escucha y comprueba.**

Comunicación

Informal

- ¡Hola!, ¿qué tal?
- Bien, ¿y tú?

- ¿Cómo te llamas?
- Carmen, ¿y tú?

- Esta es Celia. / Este es Roberto.

Formal

- ¡Buenos días, señor Prado, ¿cómo está usted?
- Muy bien, gracias.

- Le presento al señor Rodríguez.
- ¡Encantado/a! / Mucho gusto.

Hablar

5 Practica los saludos y las presentaciones con tus compañeros de clase, en grupos de dos o tres personas.

Gramática

GÉNERO DE LOS ADJETIVOS DE NACIONALIDAD	
masculino	femenino
italiano	italiana
español	española
estadounidense	estadounidense
marroquí	marroquí

6 Completa el cuadro.

	PAÍSES	NACIONALIDADES	
1	China	chino	
2		iraní	
3	Reino Unido	británico	
4	Turquía		turca
5	Sudáfrica		sudafricana
6		colombiano	
7		brasileño	
8	Francia		francesa
9	Polonia	polaco	
10	Suecia		sueca
11			alemana
12	Canadá		

7 Escucha y repite.

8 Practica con tus compañeros e imagina una nacionalidad distinta a la tuya.

- ¿De dónde eres?
- Soy colombiana, ¿y tú?
- Yo soy francés.

Escuchar

9 Escucha y escribe en las tarjetas.

1

Nombre:

_____

Apellido:

_____

Nacionalidad:

_____

2

Nombre:

_____

Apellido:

_____

Nacionalidad:

_____

3

Nombre:

_____

Apellido:

_____

Nacionalidad:

_____

4

Nombre:

_____

Apellido:

_____

Nacionalidad:

_____

Vocabulario

1 Escribe la letra correspondiente.

1 peluquera	F	6 taxista	☐
2 profesor	☐	7 cartero	☐
3 médica	☐	8 actriz	☐
4 camarero	☐	9 abogada	☐
5 ama de casa	☐	10 limpiadora	☐

 A

 B

 C

 D

 E

 F

 G

 H

 I

 J

2 Escoge una profesión. Pregunta a tres compañeros.

■ *¿A qué te dedicas?*
● *Soy médico, ¿y tú?*
■ *Yo soy abogada.*

Gramática

GÉNERO DE LOS NOMBRES DE PROFESIÓN	
masculino	femenino
camarer**o**	camarer**a**
profeso**r**	profeso**ra**
estudiant**e** .	estudiant**e**
president**e**	president**a**
economist**a**	economist**a**

3 Escribe el femenino.

1 el vendedor	la *vendedora*
2 el secretario	la _____
3 el conductor	la _____
4 el cocinero	la _____
5 el futbolista	la _____
6 el cantante	la _____
7 el actor	la _____
8 el jardinero	la _____
9 el guía	la _____
10 el pianista	la _____

4 🔊11 Escucha y lee.

Me llamo Manolo García. Soy médico. Soy sevillano, pero vivo en Barcelona. Trabajo en un hospital. Mi mujer se llama Amelia, es profesora y trabaja en un instituto. Ella es catalana. Tenemos dos hijos, Sergio y Elena; los dos son estudiantes. Sergio estudia en la universidad, y Elena, en el instituto.

5 Responde.

1 ¿A qué se dedica Manolo? *Es médico.*
2 ¿De dónde es Manolo?
3 ¿Dónde viven?
4 ¿Dónde trabaja Amelia?
5 ¿De dónde es Amelia?
6 ¿Cuántos hijos tienen?
7 ¿Qué hacen los hijos?

PRESENTE DE VERBOS REGULARES

	trabajar	comer	vivir
yo	trabajo	como	vivo
tú	trabajas	comes	vives
él / ella / usted	trabaja	come	vive
nosotros/as	trabajamos	comemos	vivimos
vosotros/as	trabajáis	coméis	vivís
ellos / ellas / ustedes	trabajan	comen	viven

PRESENTE DE VERBOS IRREGULARES

	ser	tener
yo	soy	tengo
tú	eres	tienes
él / ella / usted	es	tiene
nosotros/as	somos	tenemos
vosotros/as	sois	tenéis
ellos / ellas / ustedes	son	tienen

6 Completa las frases con la forma adecuada de los verbos anteriores.

1 Belén no _____ madrileña, _____ valenciana.
2 Rocío _____ en una agencia de viajes.
3 Javier Bardem _____ un actor español.
4 Nosotros _____ tres hijos.
5 Mi marido _____ muchas verduras.
6 ¿De dónde _____ Fernando?
7 Yo no _____ carne, _____ vegetariana.
8 Miguel y María _____ en una empresa sevillana.
9 ¿Tus padres _____ en una casa al lado de la playa?
10 Tú _____ más dinero que yo.
11 Nosotras no _____ profesoras: Rosa _____ médica y yo _____ periodista.
12 ¿Usted _____ colombiano?

7 Completa.

TÚ	USTED
¿Dónde vives?	¿Dónde _vive_ usted?
¿Cómo _____?	¿Cómo se llama usted?
¿Tienes hijos?	¿_____ hijos usted?
¿De dónde _____?	¿De dónde _____ usted?
¿A qué _____?	¿A qué se dedica usted?

8 Practica las preguntas anteriores con *usted* con tu profesor.

Leer

9 Completa el texto siguiente con los verbos adecuados.

Me [1] llamo Elaine Araujo y [2] _____ arquitecta. [3] _____ brasileña, pero ahora [4] _____ en Madrid porque estudio un máster en la universidad. También [5] _____ los fines de semana en un restaurante. Estoy soltera pero [6] _____ un novio español: él [7] _____ en una empresa de informática.

Escribir

10 Escribe un párrafo sobre ti. Luego, léelo a tus compañeros.

Me llamo _____
_____, soy _____
_____.

Entonación interrogativa

1 💿12 Escucha y repite.

1 ¿De dónde eres?
2 ¿De dónde son ustedes?
3 ¿Cómo te llamas?
4 ¿Quién es este?
5 ¿Dónde vives?
6 ¿Dónde trabaja usted?
7 ¿Dónde viven ustedes?
8 ¿Cómo se llama el marido de Ana?

Vocabulario

1 Escribe los números.

> seis • uno • ocho • tres • nueve

0 cero   1 _____

2 dos   3 _____   4 cuatro

5 cinco   6 _____

7 siete   8 _____

9 _____   10 diez

2 🔊13 Escucha y comprueba.

3 Practica con tu compañero.

2 + 3 = _cinco_   8 - 6 = _dos_
■ ¿Dos más tres?   ■ ¿Ocho menos seis?
● Cinco.   ● Dos.

3 + 5 = _____   9 - 4 = _____
4 + 4 = _____   1 - 0 = _____

Escuchar

4 🔊14 Escucha y escribe los números de teléfono.

1 María: _936 547 832_
2 Jorge: _____
3 Marina: _____ , _____
4 Aeropuerto de Barajas: _____
5 Cruz Roja: _____
6 Radio-taxi: _____

Hablar

5 Pregunta el número de teléfono a varios compañeros. Toma nota.

> ■ Lars, ¿cuál es tu número de teléfono / móvil?
> ● Es el 95 835 62 10.
> ■ Gracias.

6 Ahora pregúntale su dirección de correo electrónico.

> ■ ¿Cuál es tu correo electrónico?
> ● joseluis@gmail.com

Vocabulario

7 🔊15 Escucha y aprende.

11 once	16 dieciséis
12 doce	17 diecisiete
13 trece	18 dieciocho
14 catorce	19 diecinueve
15 quince	20 veinte

8 En parejas escribid los números.

4 x 4 = _dieciséis_
Cuatro por cuatro dieciséis

9 x 2 = _____   4 x 5 = _____
3 x 6 = _____   2 x 8 = _____
5 x 3= _____   7 x 2 = _____
2 x 6 = _____   3 x 4 = _____

9 🔊16 Juega al bingo.

A Escoge uno de los dos cartones.
B Escucha y señala los números que oyes. ¡Suerte!

1

B	I	N	G	O
1	4	7	13	16
2	5	8	14	18
3	6	11	15	19

2

3	7	10	13	16
4	8	11	14	17
5	9	12	15	20

Escuchar

10 🎧17 Lee, escucha y completa.

EN UN GIMNASIO

Felipe: ¡Buenas tardes!
Rosa: ¡Hola!, [1] _____.
Felipe: Quiero apuntarme al gimnasio.
Rosa: Tienes que darme tus datos. A ver, ¿[2] _____?
Felipe: Felipe Martínez.
Rosa: ¿Y de segundo apellido?
Felipe: Franco.
Rosa: ¿Dónde [3] _____?
Felipe: En la calle Goya, número ochenta y siete, tercero izquierda.
Rosa: ¿Teléfono?
Felipe: [4] _____.
Rosa: ¿Profesión?
Felipe: [5] _____.
Rosa: Bueno, ya está; el precio es…

11 Completa la tarjeta con los datos de Felipe.

Gramática

¿A **qué** te dedicas?
¿**Cómo** te llamas?
¿De **dónde** eres?
¿**Dónde** vives?
¿**Dónde** trabajas?
¿**Cuál** es tu número de teléfono?

12 Completa las frases con *qué, dónde, cómo, cuál.*

1 ▪ ¿De *dónde* es Gloria Estefan?
  ● De Cuba.
2 ▪ ¿_____ trabajas?
  ● En un banco.
3 ▪ ¿_____ se llama tu compañero?
  ● Mariano.
4 ▪ ¿_____ vive Julio?
  ● En Miami.
5 ▪ ¿A _____ se dedica tu mujer?
  ● Es cantante.
6 ▪ ¿De _____ son ustedes?
  ● Somos alemanes, de Bonn.
7 ▪ ¿_____ significa "saludo"?
  ● «Hola» es un saludo.
8 ▪ ¿A _____ te dedicas?
  ● Soy pintor.
9 ▪ ¿_____ es tu número de teléfono?
  ● 693 22 06 31.

Hablar

13 Prepara cinco preguntas para un compañero y luego pregúntale. Anota las respuestas.

¿Dónde vives?
¿Cómo se llama tu padre?
¿De dónde eres?…

Gimnasio Praga

NOMBRE _____ APELLIDOS _____

DOMICILIO ACTUAL _____ NÚMERO ____

PISO ____ PUERTA ____ TELÉFONO _____ PROFESIÓN _____

CORREO ELECTRÓNICO femartinez@gmail.com

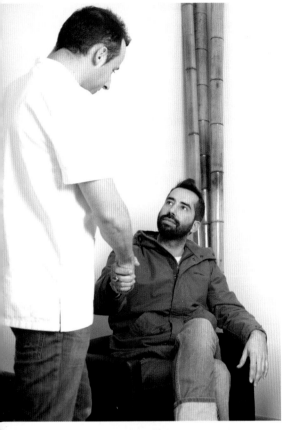

Leer

1 Lee el siguiente texto.

Saludos

En español podemos hablar en estilo formal o informal. En **estilo formal** usamos *usted (Ud.)* y *ustedes (Uds.)* para hablar con personas desconocidas, de mayor edad o superiores en el trabajo: un jefe, un profesor, un médico. También en estilo formal utilizamos las fórmulas *señor (Sr.)* y *señora (Sra.)* con el apellido: *Sr. Pérez.*

En **estilo informal** usamos el nombre, y es muy habitual decir *¡hola!* para saludar y *¡hasta luego!,* para despedirse; pero también decimos *¡adiós!, ¡hasta mañana!* o *¡hasta pronto!*

En estilo formal e informal es normal saludar también con *¡buenos días!,* por la mañana; *¡buenas tardes!,* por la tarde; y *¡buenas noches!,* por la noche.

2 Marca la forma adecuada.

	Tú	Usted
1 Hablo con un camarero.	☐	☐
2 Hablo con mi profesor.	☐	☐
3 Hablo con mi tío.	☐	☐
4 Hablo con la vendedora.	☐	☐
5 Hablo con un niño.	☐	☐
6 Hablo con una persona de 70 años desconocida.	☐	☐

3 Relaciona.

1 ¡Hola!, ¿qué tal?
2 ¡Adiós!
3 ¡Hola, chico!, ¿cómo estás?
4 ¡Hola!, me llamo Javier.
5 Buenas noches, ¿cómo está usted?
6 Vos sos* Pablo, ¿no?

a ¡Hola!
b Sí, hola. Y vos Óscar, claro.
c Hola, yo soy Marisa.
d Bien, ¿y tú?, ¿qué tal?
e Bien, ¿y Ud.?
f ¡Adiós, hasta luego!

* En Argentina dicen *vos sos* en lugar de *tú eres.*

Escuchar

4 🔘18 Escucha cómo se presentan cuatro personas y completa la tabla.

NOMBRE	PROFESIÓN	CIUDAD	MÓVIL
	estudiante		
Claudia			
		Caracas	
Manuel			

Hablar

Alumno A (alumno B, ver «En parejas»)

5 ¿Conoces a estos personajes famosos? Pregunta a B la información sobre los números 1, 3, 5 y 7.

¿Cómo se llama el número 1? ¿De dónde es? ¿A qué se dedica?

1 _____
_____
_____

2 Benicio del Toro
puertorriqueño
actor

3 _____
_____
_____

4 Miquel Barceló
español
pintor

5 _____
_____
_____

6 Penélope Cruz
española
actriz

7 _____
_____
_____

8 Pedro Almodóvar
español
director de cine

6 Responde a B la información sobre los números 2, 4, 6 y 8.

El número 2 se llama Benicio del Toro. Es puertorriqueño. Es actor.

Escribir

7 Completa una ficha con tus datos y otra con los de tu compañero.

Nombre:

Apellido:

Nacionalidad:

Profesión:

Domicilio:

Ciudad:

Teléfono:

Correo electrónico:

Nombre:

Apellido:

Nacionalidad:

Profesión:

Domicilio:

Ciudad:

Teléfono:

Correo electrónico:

1 Lee los textos y completa las preguntas.

A Me llamo Peter Tuck. Soy profesor de inglés. Vivo en Madrid y trabajo en un colegio. Estoy soltero.

B Yo me llamo Maria Rodrigues; soy brasileña, de Río de Janeiro. Mi marido se llama Bruno y también es brasileño. Somos profesores.

C Yo me llamo Yoshie Kikkawa y soy japonesa, de Tokio. Estoy casada. Mi marido se llama Mitsuo y tenemos dos hijos, Kimiko y Ken. Los dos estudian en el colegio.

1 ■ ¿_Dónde_ vive Peter?
● En Madrid.
2 ■ ¿_____ Peter?
● En un colegio.
3 ■ ¿_____ Maria?
● Es brasileña.
4 ■ ¿_____ el marido de Maria?
● Bruno.
5 ■ ¿_____ Yoshie?
● De Tokio.
6 ■ ¿Qué _____ los hijos de Yoshie?
● Estudian en el colegio.

2 Completa los diálogos.

1 ■ Hola, me _llamo_ Manuel, y _____ español. ¿Cómo _____ tú?
● _____ Marta.
2 ■ Buenos días, señor Jiménez, ¿cómo _____ usted?
● Bien, gracias, ¿y _____?
3 ■ Mire, señora Rodríguez, le _____ al señor Márquez.
● _____.
▼ Mucho gusto.
4 ■ Hola, Laura. ¿Qué _____?
● Hola, Manu, muy _____. Mira, _____. es Marina, una nueva _____.
■ Hola, ¿qué _____?
▼ _____ , ¿y tú?
■ Muy bien.

3 🔊•19 Escucha los apellidos y escribe el número de orden.

Díaz	☐	Martínez	☐
Vargas	☐	Díez	☐
Marín	☐	Martín	☐
Serrano	☐	López	☐
Moreno	☐	Romero	☐
Jiménez	☐	García	☐
Pérez	☐		

4 Lee y señala si hablan de tú o de usted.

	Tú	Usted
1 ¿Cómo te llamas?	✓	☐
2 ¿Dónde vive?	☐	☐
3 ¿De dónde es?	☐	☐
4 ¿Dónde trabaja?	☐	☐
5 ¿De dónde eres?	☐	☐
6 ¿Cuál es tu número de teléfono?	☐	☐
7 ¿A qué te dedicas?	☐	☐

¿Qué sabes?

☺ 😐 ☹

	☺	😐	☹
· Saludar y presentar a alguien.	☐	☐	☐
· Decir la nacionalidad y la profesión.	☐	☐	☐
· Los números del 1 al 20.	☐	☐	☐
· Preguntar y decir el domicilio y el número de teléfono.	☐	☐	☐

Familias

2

a)

b)

c)

d)

> Hola, soy Jorge. Estoy casado y esta es mi familia. Mi mujer se llama Rosa y tenemos dos hijos: Isabel, de doce años, y David, de diez. Vivimos en Fuenlabrada, cerca de Madrid. Soy profesor de autoescuela.

Vocabulario

1 Relaciona.

1 ¿Estás casado/a?
2 ¿Tienes hijos?
3 ¿Tienes hermanos?

a No, no tengo.
b Sí, un hermano y una hermana.
c No, estoy soltero/a.

2 🔘20 Jorge y Luis hablan de sus familias. Lee los textos y escucha.

3 Escribe el nombre de cada uno en las fotos.

4 Escribe las preguntas para estas respuestas.

1 Jorge vive cerca de Madrid. *¿Dónde vive Jorge?*
2 Es profesor de autoescuela.
3 Se llama Manuel.
4 Estudia Medicina.
5 Tiene setenta y nueve años.

e)

f)

g)

h)

> Yo soy Luis. No tengo hermanos, no tengo novia, estoy soltero y vivo en Sevilla con mis padres y mi abuela. Mi padre se llama Manuel y tiene cincuenta y ocho años. Mi madre se llama Rocío y tiene cincuenta y seis años. Mi abuela tiene setenta y nueve años y se llama Carmen. Soy estudiante de Medicina.

5 Completa las frases siguientes con las palabras del recuadro.

> ~~mujer~~ • hermana • padre • hijo
> abuela • madre • marido

1 Rosa es la _mujer_ de Jorge.
2 David es _____ de Jorge y Rosa.
3 Rosa es la _____ de Isabel.
4 Isabel es _____ de David.
5 Manuel es el _____ de Luis.
6 Carmen es _____ de Luis.
7 Manuel es el _____ de Rocío.

Hablar

6 Haz estas preguntas a varios compañeros y luego completa la ficha.

1 ¿Estás casado/a o soltero/a?
2 ¿Tienes hijos?
3 ¿Tienes novio/a?
4 ¿Cómo se llama tu padre / madre?
5 ¿Tienes hermanos?
6 ¿Tienes abuelos?

	NOMBRE
a Está soltero/a	
b Está casado/a	
c Tiene hijos	
d Tiene novio/a	
e No tiene hermanos	
f Tiene abuelos	

Escribir

7 Escribe algunas frases sobre tu familia y léeselas a tu compañero.

> Mi padre se llama Toni y tiene sesenta años. Mi hermana está casada y tiene dos hijos. Mi padre es taxista y mi hermano estudia Arquitectura.

Gramática

PLURAL DE LOS NOMBRES	
un mapa	dos mapas
un autobús	dos autobuses

8 Mira la imagen y señala si es verdadero (V) o falso (F).

En esta clase tienen:

a una televisión ☐
b dos mapas ☐
c cinco sillas ☐
d cinco libros ☐
e cinco estudiantes ☐
f un teléfono ☐
g tres mesas ☐
h dos bolígrafos ☐

9 Escribe en plural.

1 un coche — _dos coches_
2 un profesor — _____
3 una ventana — _____
4 una compañera — _____
5 una ciudad — _____
6 un cuaderno — _____
7 un chico — _____
8 un hotel — _____
9 un teléfono — _____
10 un ordenador — _____

10 Completa.

SINGULAR	PLURAL
hermano / hermana	hermanos / _hermanas_
padre / _____	_____ / madres
_____ / hija	hijos / _____
abuelo / _____	abuelos / _____

■ *Decir dónde están las cosas*
■ *Expresar posesión*

¿Dónde están mis gafas?

Vocabulario

1 Mira el dibujo y escribe la letra correspondiente.

1 reloj	☐	7 silla	☐
2 paraguas	☐	8 mesita	☐
3 zapatillas	B	9 gafas	☐
4 ordenador	☐	10 teléfono	☐
5 cuadro	☐	11 sillón	☐
6 sofá	☐	12 lámpara	☐

Gramática

Marcadores de lugar

debajo
delante
al lado
a la derecha
a la izquierda
encima
detrás
entre

MARCADORES DE LUGAR

debajo de	al lado de	encima de
delante de	a la derecha de	entre
detrás de	a la izquierda de	en

*La planta está **debajo de** la ventana.*
*Los libros están **en** la cartera.*

A + el = **al**
De + el = **del**

*El sofá está **al lado del** sillón.*

2 Mira la habitación anterior y completa las frases.

1 El reloj está *al lado* del cuadro.
2 Las zapatillas están _____ de la mesita.
3 El teléfono está _____ del ordenador.
4 El sillón está _____ de la librería.
5 Las gafas están _____ el teléfono y el ordenador.
6 El gato está _____ de David.
7 La ventana está _____ de la planta.
8 El paraguas está _____ del teléfono.
9 El cuadro está _____ la estantería y el reloj.
10 El gato está _____ del sofá.

3 Mira tu clase o tu habitación y escribe cinco frases.

El diccionario está al lado del cuaderno.
La silla está delante de la mesa.

ADJETIVOS POSESIVOS

sujeto	singular		plural	
yo	**mi**	primo prima	**mis**	primos primas
tú	**tu**	amigo amiga	**tus**	amigos amigas
él / ella / usted	**su**	hermano hermana	**sus**	hermanos hermanas
nosotros/as	**nuestro** tío **nuestra** tía		**nuestros** tíos **nuestras** tías	
vosotros/as	**vuestro** hijo **vuestra** hija		**vuestros** hijos **vuestras** hijas	
ellos / ellas / ustedes	**su**	abuelo abuela	**sus**	abuelos abuelas

4 Completa las frases con el posesivo correspondiente.

1 ¿Cuál es <u>tu</u> número de teléfono? (tú)
2 _____ gata se llama Bonita. (ella)
3 ¿Esta es _____ chaqueta? (tú)
4 ¿Dónde está _____ diccionario? (él)
5 ¿Tienes _____ gafas? (yo)
6 _____ casa está cerca de aquí. (nosotros)
7 _____ primos viven en Barcelona. (ellas)
8 ¿Dónde viven _____ padres? (Ud.)
9 ¿Dónde vive _____ hermano? (vosotros)
10 ¿Dónde trabaja _____ madre? (él)

5 Completa la conversación con los adjetivos posesivos.

■ ¿Estos son (1) <u>tus</u> padres?
● Sí, (2) _____ madre se llama Julia y
  (3) _____ padre, Miguel.
■ ¿Y estos?
● Son (4) _____ tíos, Carlos y Águeda.
■ ¿Esta es (5) _____ hija?
● Sí, esa es (6) _____ prima Carolina.
■ Pues es muy guapa (7) _____ prima.

PRONOMBRES DEMOSTRATIVOS

Este es Pedro.
Esta es Elena.
Estos son Pablo y Amanda.
Estas son Lucía y Graciela.

6 Completa.

Mira, (1) <u>estos</u> son mis amigos. (2) _____ es Celia, y (3) _____ es Gonzalo, su novio. (4) _____ de la derecha es Laura. (5) _____ de aquí son las hermanas de Gonzalo, Marisa y Pilar.

Hablar

7 Mira las imágenes y, con tu compañero, practica microdiálogos, como en el ejemplo.

1 ■ (Miguel / libros)
  ● ¿poesía?

■ (yo / cámara)
● ¿fotografía?
  ■ *Esta soy yo con mi cámara.*
  ● *¿Eres aficionada a la fotografía?*

2 ■ (nosotros / guitarras)
  ● ¿música?

3 ■ (Sara / cuadro)
  ● ¿arte?

4 ■ (María y Juan / bicicletas)
  ● ¿deporte?

5 ■ (mis hermanas / raquetas)
  ● ¿tenis?

Vocabulario

1 Mira los relojes. ¿Qué hora es?

1	2	3

las tres y media   las dos menos cuarto   las diez y cuarto

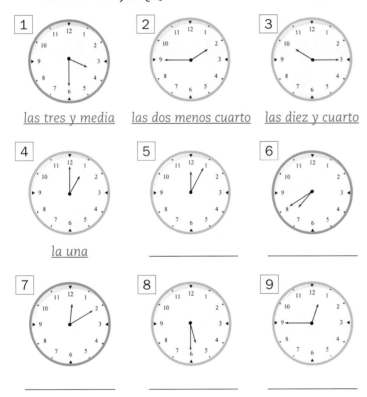

la una

2 🔘 **21** Escucha y repite.

3 Dibuja tres horas diferentes en tu cuaderno. En parejas, pregunta y di las horas.

> ■ *Perdone, ¿qué hora es?*
> ● *Son las siete y veinte.*

Comunicación

● **Las comidas**
  desayunar - comer - cenar

● **Abrir / Cerrar**
  - *En España los bancos* **abren** <u>por la mañana</u>, *pero* **cierran** <u>por la tarde</u>.
  - *Las discotecas* **abren** <u>por la noche</u>.
  - *Muchos comercios* **cierran** <u>a mediodía</u>.

Leer

4 Lee el texto y señala con V lo que es igual en tu país y con X lo que es diferente.

Horarios

1 En Noruega la gente come a las cinco de la tarde. ☐

2 En Senegal cenan a las ocho o las ocho y media. ☐

3 En México los bancos no abren por la tarde. ☐

4 En España la gente come a las dos del mediodía. ☐

5 Los españoles cenan a las diez de la noche. ☐

6 En Estados Unidos muchas tiendas abren por la noche. ☐

7 En Francia los restaurantes abren a las 12:00. ☐

8 En Brasil los bancos abren a las diez. ☐

9 En el Reino Unido las farmacias cierran a las cinco de la tarde. ☐

10 En España la mayoría de los comercios cierran de dos a cinco de la tarde. ☐

5 Habla con tu compañero y compara las afirmaciones anteriores con lo que ocurre en tu país.

> ■ *En Noruega comen a las cinco de la tarde y en mi país también.*
> ● *En Noruega comen a las cinco de la tarde, pero en mi país comemos a la una.*

Vocabulario

6 Relaciona.

1 sesenta segundos
2 veinticuatro horas
3 siete días
4 doce meses
5 sesenta minutos
6 cien años
7 una década

a una hora
b una semana
c un minuto
d un día
e diez años
f un año
g un siglo

Escuchar

7 🎧22 Escucha y completa con las palabras del recuadro.

> cuarenta • noventa • setenta • seiscientos/as
> cuatrocientos/as • trescientos/as • veinticuatro
> cincuenta y dos • ciento once

21	veintiuno	90	_____
22	veintidós	100	cien
23	veintitrés	103	ciento tres*
24	_____	111	_____
30	treinta	200	doscientos/as
31	treinta y uno	300	_____
40	_____	400	_____
50	cincuenta	500	quinientos/as
52	_____	600	_____
60	sesenta	1000	mil
70	_____	2000	dos mil**
80	ochenta	5000	cinco mil

* Cuando *cien* va seguido de unidades y decenas se dice *ciento*, *ciento uno*, *ciento dos...*

** No decimos *dos miles*.

8 🎧23 Escucha y señala el número que oyes.

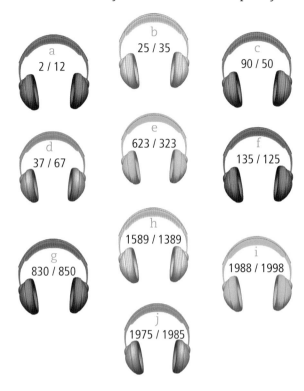

a 2 / 12
b 25 / 35
c 90 / 50
d 37 / 67
e 623 / 323
f 135 / 125
g 830 / 850
h 1589 / 1389
i 1988 / 1998
j 1975 / 1985

9 🎧24 Escucha y escribe el número.

1 edad de la niña: 12 años.
2 precio de las naranjas: _____.
3 precio del paquete de café: _____.
4 año de nacimiento: _____.
5 distancia entre Madrid y Barcelona: _____ km.
6 precio del café y la cerveza: _____.
7 hora: _____.
8 páginas del libro: _____.
9 días del mes de marzo: _____.
10 número de la calle: _____.

Pronunciación y ortografía

Acentuación

1 🎧25 Escucha.

> **teléfono** **lápiz** **ventana** **hotel**
> **profesor** **hermano** **familia** **música**

2 🎧25 Escucha otra vez y repite. Observa las sílabas fuertes.

3 🎧26 Escucha estas palabras y subraya la sílaba fuerte.

> **profesora** **español** **café** **gramática** **mesa**
> **vivir** **hablar** **médico** **autobús** **Pilar** **alemán**
> **brasileña** **familia** **libro** **examen**

4 Escribe las palabras de la actividad anterior en la columna correspondiente.

música	ventana	hotel

Leer

1 Lee y señala verdadero (V) o falso (F).

La familia hispana

Cuando una persona de España o Hispanoamérica habla de su familia, no habla solamente de sus padres y de sus hermanos, habla también de sus abuelos, de sus tíos, de sus primos y de otros parientes.

Además, las reuniones familiares son frecuentes. Todos se juntan para celebrar las fiestas más importantes, como los cumpleaños, la Navidad, el día del Padre y el día de la Madre. Ese día comen todos en una casa o en un restaurante.

Por otro lado, en algunos países de Hispanoamérica es normal celebrar el día en que

las chicas cumplen quince años de una manera especial. Les hacen muchos regalos y toda la familia y amigos van a comer a un restaurante.

1 La familia hispana está compuesta
de padres e hijos. [F]

2 Las familias españolas y hispanoamericanas
se reúnen muchas veces. ☐

3 Las celebraciones familiares siempre se
hacen en un restaurante. ☐

4 El día de la Madre es una fiesta muy
popular en España. ☐

5 Las chicas hispanoamericanas se casan
a los quince años. ☐

2 Lee el siguiente texto.

Dos apellidos

En la mayoría de los países hispanoamericanos, todas las personas tienen dos apellidos. Normalmente el primero es el apellido del padre y el segundo es el de la madre. Estos dos apellidos aparecen en todos los documentos y no cambian al casarse, son para toda la vida.

¿Cuáles son los apellidos de Santiago?

Me llamo Santiago. Mi padre se llama Enrique Lozano Linares y mi madre Luisa Pardo Pérez.

Santiago _____

_____

3 Lee los textos otra vez y contesta a las preguntas.

1 ¿Qué personas forman parte de la familia en España?

2 ¿Para qué se reúnen las familias españolas? ¿Cómo son sus celebraciones?

3 ¿Cómo se celebra en algunos países hispanoamericanos el cumpleaños de las niñas de quince años?

4 ¿Qué apellidos tienen las personas en la mayoría de los países hispanoamericanos?

Hablar

4 Comenta con tus compañeros.

• ¿Cuántos apellidos tienes?

• ¿Cambia en tu país el apellido de las mujeres cuando se casan?

• ¿Te parece bien la costumbre de tener dos apellidos?

Yo tengo un apellido y...

Escribir

5 Dibuja el árbol genealógico de tu familia. Después escribe un pequeño texto y comenta cómo se llaman, quiénes son, cuántos años tienen, dónde viven y en qué época del año os reunís para las celebraciones familiares.

Escuchar

6 Escucha y completa.

Dos de los actores españoles más famosos en el mundo son Penélope Cruz y su [1] _____, Javier Bardem. Mónica, la [2] _____ de Penélope, y Pilar y Carlos, la [3] _____ y el [4] _____ de Javier, también son actores.

La familia Alcántara celebra la primera comunión de su [5] _____ María. Junto a la niña están sus [6] _____, Antonio y Merche, sus [7] _____, Carlitos y Toni, y su [8] _____, Herminia.

Mario Vargas Llosa, Premio Nobel de Literatura, y su [9] _____, Patricia, tienen dos [10] _____, Álvaro y Gonzalo, y una [11] _____, Morgana. Mario y Patricia son [12] _____.

Hablar

Alumno A (alumno B, ver «En parejas»)

7 Pregunta a B dónde están los objetos del recuadro.

gafas   zapatillas deportivas   bolígrafo

agenda   CD   cuaderno

¿Dónde están las gafas?

8 Responde a B dónde están sus objetos.

El móvil está al lado del ordenador.

1 Relaciona.

1 ¿Dónde está mi bolígrafo?
2 ¿Estás casado?
3 ¿Tienes hijos?
4 ¿Cuántos hermanos tienes?
5 ¿Qué hora es?
6 ¿A qué hora comen en tu país?

a No, estoy soltero.
b Tres.
c Encima de la mesa.
d Sí, una niña.
e A la una.
f Las dos menos cuarto.

2 Escribe los números.

a 27   _veintisiete_
b 52   _____
c 116 _____
d 238 _____
e 456 _____

f 510 _____
g 1987 _____
h 2003 _____
i 2999 _____
j 4100 _____

3 Escribe en plural.

1 Este hotel es muy caro.
  Estos hoteles son muy caros.
2 Mi hermana está casada.
  _____
3 Mi hermano tiene un hijo.
  _____ dos _____
4 Mi compañero es japonés.
  _____
5 Esta profesora es simpática.
  _____
6 Este libro no es interesante.
  _____
7 Este profesor no es español.
  _____
8 Esta chica está soltera.
  _____
9 Mi gato es joven.
  _____
10 ¿Tu padre es catalán?
  _____

4 Completa con los verbos *estar* o *tener*.

1 Las zapatillas _están_ debajo de la silla.
2 Marieli _____ dos hijos.
3 Mi hermano _____ casado.
4 Yo no _____ abuelos.
5 ¿Carmen y Ana _____ hermanos?
6 ¿Dónde _____ la carpeta roja?
7 Mi marido no _____ en casa.
8 Nosotros no _____ coche.
9 Luis y Pepe _____ trabajo.

5  Escucha y escribe las horas de salida y llegada de los trenes.

SALIDAS			
tren	andén	destino	hora
Altaria	3	Zaragoza	_____
Talgo	6	Málaga	_____
AVE	2	Sevilla	_____

LLEGADAS			
tren	andén	procedencia	hora
AVE	11	Sevilla	_____
Alaris	8	Valencia	_____
Talgo	4	Vigo	_____

¿Qué sabes?

· Hablar de la familia.
· Formar el plural de los nombres.
· Decir dónde están las cosas.
· Preguntar y decir la hora.
· Contar hasta 5000.

El trabajo

3

Vocabulario

1 Relaciona las frases con los dibujos.

1 Carlos y Ana se casan. ☐D
2 Roberto se afeita todos los días. ☐
3 Rosa se levanta a las siete. ☐
4 Mercedes se baña. ☐
5 José se ducha. ☐
6 Mis vecinos se acuestan temprano. ☐

Comunicación

Temprano / Tarde
■ *Los lunes me levanto muy **temprano**, a las seis de la mañana.*
● *¿Y los domingos?*
■ *Los domingos me levanto muy **tarde**, a las 11 o las 12.*

2 Responde.

1 ¿A qué hora te levantas?
2 ¿A qué hora te acuestas?

Gramática

VERBOS REFLEXIVOS		levantar**se**	acostar**se***
yo	me	levanto	acuesto
tú	te	levantas	acuestas
él / ella / Ud.	se	levanta	acuesta
nosotros/as	nos	levantamos	acostamos
vosotros/as	os	levantáis	acostáis
ellos / ellas / Uds.	se	levantan	acuestan

* Verbo irregular

3 Completa la siguiente conversación con los verbos del recuadro.

> levantarse • acostarse • ducharse

■ Y tú, Juan, ¿a qué hora <u>te levantas</u>?
● Bueno, yo ___ _____ pronto, a las siete, más o menos, ___ _____ rápidamente y tomo un café.
■ Y tu mujer, ¿a qué hora ____ _____?
● Pues a las siete y media. Ella también ___ _____ más tarde, sobre las doce de la noche.
■ ¿Y tus hijos?
● Ellos cenan, ven un poco la tele y ___ _____ temprano, a las diez.
■ ¿Y a qué hora ___ _____?
● A las ocho, porque entran al colegio a las nueve.
■ ¿Y los días de fiesta también ____ _____ todos temprano?
● ¡Ah, no!, ni hablar, los domingos ____ _____ más tarde, a las diez, porque, claro, también ____ _____ más tarde.

4 🔊29 Escucha y comprueba.

PRESENTE DE VERBOS IRREGULARES

empezar	volver	ir	salir
emp**ie**zo	v**ue**lvo	**voy**	salgo
emp**ie**zas	v**ue**lves	**vas**	sales
emp**ie**za	v**ue**lve	**va**	sale
empezamos	volvemos	**vamos**	salimos
empezáis	volvéis	**vais**	salís
emp**ie**zan	v**ue**lven	**van**	salen

5 Forma frases.

1 Carmen / empezar / su trabajo / a las ocho.
Carmen empieza su trabajo a las ocho.
2 ¿A qué hora / empezar / la película?
3 Mi padre / ir / al trabajo / en autobús.
4 Yo / volver / a mi casa / a las siete.
5 ¿Cuándo / volver / de vacaciones tus hermanos?
6 ¿Ir (nosotros) / a casa de la abuela?
7 ¿Cómo / ir (tú) / al trabajo?
8 ¿Ir (vosotros) / al colegio / en autobús?
9 ¿A qué hora / salir (tú) / de casa?
10 ¿A qué hora / empezar / las clases?

PREPOSICIONES DE TIEMPO

Días

El lunes		la mañana
Hoy	**por**	la tarde
El sábado		la noche

*Yo solo trabajo **por** la mañana.*
*Julia se ducha **por** la tarde.*
*Los sábados **por** la noche vamos a la discoteca.*

Horas

Son	las diez		la mañana
	las cinco	**de**	la tarde
A	las tres		la noche
			la madrugada

*Se levanta **a** las seis **de** la mañana.*
*Ella trabaja **desde** las ocho **hasta** las tres.*
*Ella trabaja **de** ocho **a** tres.*
*Hoy **por** la tarde no tengo clase.*
*El sábado **por** la noche vamos **a** la discoteca.*

Comunicación

Cuantificadores

- *Todos* los camareros del hotel hablan inglés.
- *La mayoría* de los españoles se acuesta tarde.
- *Muchas* personas en el mundo estudian español.
- *Algunos* alumnos van al colegio en autobús.

6 Lee el artículo y contesta a las preguntas.

Escuela Provincial de *Ballet* Alejo Carpentier (La Habana, Cuba)

En esta escuela estudian los alumnos desde los nueve hasta los catorce años. El ritmo de trabajo es muy duro, tienen clase por la mañana y por la tarde. Por la mañana, las clases empiezan a las siete y cuarto todos los días, y algunos alumnos se levantan a las cinco de la mañana. Las clases de baile terminan a las doce, y a esa hora los alumnos van a otra escuela que está cerca. Allí estudian las mismas asignaturas (Lengua, Matemáticas, Geografía, etc.) que los demás niños de su edad. Terminan las clases a las seis de la tarde y a veces vuelven otra vez a la escuela de *ballet*, hasta las ocho.

(Texto adaptado de «El milagro cubano», de Mauricio Vicent para *El País*).

1 ¿Cuántas horas de *ballet* tienen cada día?
2 ¿Estudian en la misma escuela otras asignaturas?
3 ¿Qué edad tienen los alumnos de esta escuela?
4 ¿A qué hora terminan las clases por la tarde?

7 Lee el texto otra vez y completa las frases con las preposiciones del recuadro.

> a • de • desde • hasta • por

1 En esta escuela estudian los niños _____ los nueve _____ los catorce años.
2 Algunos alumnos se levantan muy pronto, _____ las cinco _____ la mañana.
3 _____ la mañana, los niños están en la escuela de *ballet* _____ las siete y cuarto _____ las doce.
4 En la escuela de *ballet* los alumnos tienen clase _____ la mañana y _____ la tarde.
5 Los alumnos de *ballet* van a otra escuela ____ las doce ____ las seis de la tarde.
6 Por la tarde, las clases de *ballet* son ____ las ocho.

3 B ¿Estudias o trabajas?

Leer

1 Escribe los días de la semana en el orden adecuado.

martes lunes jueves sábado viernes domingo miércoles

1. _____ 2. _____ 3. _____ 4. _____ 5. _____ 6. _____ 7. _____

¿Qué día es hoy?

2 🔊30 Lee y escucha los textos de Lucía y Carlos.

Lucía es técnico de sonido y trabaja en una emisora de radio, la Cadena Día. Tiene veintinueve años y no está casada. Vive en Valencia, y habla inglés y francés perfectamente. Todos los días trabaja de ocho a tres, menos los sábados y domingos. Los días laborables se levanta a las siete y sale de casa a las siete y media. Va al trabajo en autobús. Los sábados por la noche siempre sale con sus amigos a cenar y a bailar, por eso se acuesta muy tarde, a las tres o las cuatro de la madrugada.

Carlos es bombero. Trabaja en el ayuntamiento de Toledo. Vive en un pueblo cerca de Toledo y va al trabajo en tren. Tiene treinta y cuatro años, está casado y no tiene hijos. Trabaja en turnos de veinticuatro horas, un día sí y otro no. Si trabaja el sábado o el domingo, después tiene dos días libres. Siempre se levanta muy temprano, a las siete o las ocho de la mañana, por eso normalmente no sale por las noches. Cena a las diez, después ve la tele y a las once y media se acuesta.

3 Lee otra vez y completa las frases.

Lucía
1 Lucía _es_ técnico de sonido.
2 Trabaja _____ ocho _____ tres.
3 Normalmente _____ a las siete.
4 _____ al trabajo _____ autobús.
5 Los sábados _____ la noche _____ con sus amigos.
6 Los sábados _____ la noche _____ muy tarde.

Carlos
1 Carlos _vive_ en un pueblo pequeño cerca de Toledo.
2 No _____ hijos.
3 Se levanta muy _____, ____ las siete o las ocho ____ la mañana.
4 Carlos normalmente no _____ por la noche y _____ a las once y media.

Hablar

4 Escribe las siguientes preguntas y luego pregunta a tu compañero. Toma nota de sus respuestas.

1 ¿Hora / levantarse / normalmente?
   ¿A qué hora te levantas normalmente?
2 ¿Hora / empezar las clases o el trabajo?
3 ¿Hora / terminar las clases o el trabajo?
4 ¿Hora / llegar a casa?
5 ¿Cómo / ir a la escuela o al trabajo?
6 ¿Hacer / después de cenar?
7 ¿Cuándo / ver / la televisión?
8 ¿Ducharse por la mañana o por la noche?
9 ¿Hora / acostarse / normalmente?
10 ¿Hora / levantarse / los domingos?
11 ¿Hora / acostarse / los sábados?
12 ¿Salir / los sábados por la noche?

Escribir

5 Escribe un párrafo sobre la vida de tu compañero.

> Michael es _____,
> trabaja en _____.
> Va al trabajo en _____.

Vocabulario

6 ¿Dónde trabajan? Escribe cada profesión en la columna correspondiente.

médico/a • estudiante • enfermero/a • cajero/a informático/a • dependiente/a • secretario/a profesor/a • cocinero/a • camarero/a

hospital	universidad	oficina

supermercado	restaurante

7 ¿Qué hace? Relaciona las dos columnas.

1 El / La dependiente/a   a hace la comida.
2 El / La recepcionista   b cuida enfermos.
3 El / La auxiliar de vuelo   c cobra a los clientes.
4 El / La enfermero/a   d atiende a los clientes.
5 El / La profesor/a   e enseña a los alumnos.
6 El / La cocinero/a   f atiende a los pasajeros.
7 El / La camarero/a   g recibe a los turistas.
8 El / La cajero/a   h vende ropa.

Hablar

8 Piensa en tres o cuatro personas conocidas y comenta con tus compañeros a qué se dedican, dónde trabajan, qué hacen...

Ángel es dependiente, trabaja en unos grandes almacenes, vende muebles...

9 En grupos de cuatro. Uno representa con mímica una profesión y el resto adivina de qué profesión se trata.

Vocabulario

1 ¿Qué bebes para desayunar?

☐ leche
☐ café (con leche)
☐ té (con limón)
☐ chocolate
☐ zumo de frutas
☐ _____

2 Ahora escribe la letra correspondiente.

1 té ☐
2 café con leche ☐
3 zumo de naranja ☐
4 magdalenas ☐
5 cereales ☐
6 leche ☐
7 huevo ☐
8 queso ☐
9 pan con tomate y aceite ☐

Escuchar

3 🔊31 Escucha a estas cuatro personas de diferentes países hablar de su desayuno y completa la tabla.

	NACIONALIDAD	DESAYUNO
1 Philip	alemán	pan con mantequilla y salami y un huevo, o muesli con yogur, y té o café
2 Claudia		
3 Elizabeth		
4 Manuel		

4 En grupos. Cada uno cuenta qué desayuna normalmente y qué los domingos.

Yo, normalmente, solo tomo un café con leche y una magdalena, pero los domingos tomo un bocadillo de jamón y zumo de naranja, además del café con leche, claro.

Vocabulario

Cafetería Teide

Desayunos
(Hasta las 12)

Meriendas
(Desde las 17 hasta las 19)

Continental 1,75 euros
*Café + bollería o tostada
con mantequilla y mermelada*

Madrileño 2,10 euros
Churros con chocolate

Europeo 2,35 euros
*Sándwich mixto caliente
+ café*

Andaluz 2 euros
*Tostada de pan con tomate y aceite
de oliva + café o refresco*

Escuchar

5 Ordena el siguiente diálogo.

Camarera:	Buenos días, ¿qué desean?	☐
Hijo:	Yo solo quiero un zumo.	☐
Madre:	Yo quiero un desayuno andaluz, ¿y tú, hijo?	☐
Hijo:	No, mamá, solo quiero un zumo de naranja.	☐
Madre:	Toma algo más: un bollo o una tostada.	☐
Madre:	Bueno, pues un andaluz y un zumo de naranja.	☐
Camarera:	Muy bien.	☐

6 🔊32 Escucha y comprueba.

Hablar

7 En grupos de tres. Fíjate en la carta de la Cafetería Teide y practica otras conversaciones. Uno es el camarero y los otros dos van a desayunar o merendar.

- ¿Qué desean?
- *Un desayuno continental, por favor.*
- *Yo, un café con leche y una tostada con mantequilla y mermelada.*

Pronunciación y ortografía

g / gu

1 🔊33 Escucha y repite.

gato agua gota guerra guion

¿Qué sonido se repite en todas las palabras?

El sonido /g/ se escribe **g** antes de **a, o** y se escribe **gu** antes de **e, i**.

2 Completa con *g* o *gu*.

1 __uapo
2 ci__arrillos
3 __itarra
4 __afas
5 pa__ar
6 __erra
7 __uatemala
8 __oma

3 🔊34 Escucha y repite.

- ¿Sabes cuál es la comida más importante para los españoles?
- ¿Sabes a qué hora cenan en España?
- ¿Sabes a qué hora cierran las tiendas?

Leer

1 Lee este texto.

COMIDAS Y HORARIOS

El desayuno de los españoles normalmente es un café con leche acompañado de galletas, cereales, pan tostado o bollos. Muchas personas toman el desayuno en un bar o en una cafetería. En esos casos es muy popular el café o el chocolate con churros.

La comida se hace normalmente más tarde que en otros países: entre las dos y las cuatro de la tarde. Es la comida principal del día y muchos restaurantes tienen menús bastante baratos.

La cena también se hace más tarde que en otros países, entre las ocho y las diez de la noche aproximadamente.

La mayoría de las tiendas y los negocios están abiertos por las mañanas desde las diez hasta las dos de la tarde, y desde las cinco hasta las ocho. Sin embargo, en los últimos años hay muchas tiendas que abren durante todo el día.

2 Ahora contesta verdadero (V) o falso (F).

1 Los españoles nunca desayunan en los bares. ☐
2 La mayoría de los españoles come fuera de casa. ☐
3 El horario de las comidas de los españoles es igual que el de los demás países europeos. ☐
4 Los españoles cenan bastante tarde. ☐
5 La mayoría de los negocios españoles no abren por la tarde. ☐
6 Hay muchas tiendas que no cierran a mediodía. ☐

Hablar

3 Comenta con tu compañero.

1 ¿A qué hora se levanta la gente en tu país?
2 ¿A qué hora se acuesta?
3 ¿Cuál es el desayuno típico?
4 ¿Cuál es la comida más importante del día?
5 ¿A qué hora cenan?
6 ¿Qué horario tienen las tiendas?

Escuchar

4 🔊35 Adriana es argentina y nos habla de la vida en Buenos Aires. Escucha y contesta a las preguntas.

1 ¿A qué hora se levantan en Buenos Aires?
2 ¿A qué hora almuerzan* normalmente?
3 ¿Qué horario tienen las tiendas?
4 ¿Abren los bancos por la tarde?
5 ¿A qué hora cenan?
6 ¿Estudian los niños por la mañana y por la tarde?

* En Argentina el almuerzo equivale a la comida en España (el almuerzo en España es una comida ligera a media mañana, entre el desayuno y la comida)

Escribir

5 Escribe un párrafo sobre tu rutina diaria. Para ello, utiliza los verbos del recuadro.

> levantarse • ducharse • desayunar
> empezar • terminar • comer • volver
> cenar • acostarse • salir

Yo *me levanto* a las _____. *Me ducho*
_____. *Salgo* de casa _____.

Escuchar

6 🔊36 Escucha y completa.

Susana [1] *se levanta* normalmente a las siete, [2] ____ _____, se viste, [3] _____ algo rápido y sale de casa a las [4] _____.
Su trabajo empieza a las nueve. Primero va a la compra y después prepara la [5] _____ para unas treinta personas.

¿Sabes a qué se dedica?

Es [6] _____.

Emilio [7] ____ _____ tarde porque no trabaja por la mañana. Desayuna un café con leche y dos [8] _____ mientras lee el periódico. Come pronto porque [9] _____ de casa a las tres.
Va a la [10] _____ en tren. Sus clases [11] _____ a las cuatro y terminan a las ocho de la tarde.

¿Sabes a qué se dedica?

Es [12] _____.

Jaime se levanta [13] _____ temprano porque prepara el [14] _____ de sus hijos y los lleva al colegio. Después va en [15] _____ a su trabajo, que está a las afueras de la ciudad. [16] _____ en unos grandes almacenes atendiendo a los clientes. Su [17] _____ es de nueve de la mañana a cinco de la tarde.
Cuando sale del trabajo, recoge a los [18] _____ y los lleva a casa.

¿Sabes a qué se dedica?

Es [19] _____.

Hablar

Alumno A (alumno B, ver «En parejas»)

7 Pregunta a B y completa la siguiente ficha.

NOMBRE: _____
EDAD: _____
TRABAJO: _____
PAÍS: _____
CIUDAD: _____
LUGAR DE TRABAJO: _____
TRANSPORTE: _____
FAMILIA: _____

8 Responde a las preguntas de B.

NOMBRE: Elena Boschmonar
EDAD: 28 años
TRABAJO: Azafata
PAÍS: Uruguay
CIUDAD: Montevideo
LUGAR DE TRABAJO: Aerolíneas
TRANSPORTE: Autobús de la empresa
FAMILIA: Soltera. Vive con sus padres

1 Relaciona.

1 ¿A qué te dedicas?
2 ¿Qué horario tienes?
3 ¿Tienes algún día libre?
4 ¿Dónde trabajas?
5 ¿Cómo vas al trabajo?
6 ¿Estás casado?
7 ¿Cuántos años tienes?

a Soy bombero.
b En el Ayuntamiento.
c Sí, los domingos.
d No, estoy soltero.
e Trabajo de 9 a 5.
f 37.
g Voy en tren.

2 Escribe el verbo.

1 empezar (él): _empieza_
2 volver (yo): _____
3 ir (nosotros): _____
4 empezar (vosotros): _____
5 ir (ellos): _____
6 volver (usted): _____
7 volver (tú): _____

3 Completa con el verbo entre paréntesis en presente de indicativo.

1 Pepe _se ducha_ con agua fría. (ducharse)
2 Celia ____ _____ a las once y media. (acostarse)
3 ■ ¿Tú ____ _____ todos los días? (afeitarse)
  ● No, solo los domingos.
4 Yo no ____ _____ en la piscina, prefiero la playa. (bañarse)
5 Mi hija tiene seis años y ya ____ _____ sola. (vestirse)
6 ¿A qué hora ____ _____ vosotros los domingos? (acostarse)
7 Luis y Rosa ____ _____ muy temprano. (levantarse)
8 ¿A qué hora ____ _____ tú? (levantarse)
9 Yo ____ _____ por la noche. (ducharse)

4 Completa con la preposición adecuada (a, de, desde, por, hasta).

1 Yo empiezo a trabajar _a_ las ocho _de_ la mañana.
2 José no trabaja _____ la tarde.
3 Paloma trabaja _____ las ocho _____ las tres.
4 Los domingos _____ la mañana voy al parque.
5 Los sábados _____ la noche voy _____ la discoteca.
6 Mi marido vuelve _____ casa _____ las ocho _____ la tarde.
7 Mi hija va _____ la escuela _____ la mañana y _____ la tarde.

5 Ordena el siguiente diálogo.

[1] ■ Buenos días, ¿qué desean?
[ ] ◆ No, no, no me gusta.
[ ] ◆ Yo un zumo de naranja y un sándwich mixto.
[ ] ● ¿No quieres café?
[ ] ● Yo quiero un café con leche y una tostada, ¿y tú?
[ ] ■ Muy bien.

6 Completa con el verbo entre paréntesis en presente de indicativo.

Los horarios de los españoles (1) _____ (ser) diferentes a los de otros países, tanto en la ciudad como en el campo. La mayoría (2) _____ (levantarse) entre las siete y las ocho de la mañana y (3) _____ (acostarse) entre las doce de la noche y la una de la madrugada. Muchos de ellos dicen que no (4) _____ (dormir) lo necesario porque apenas superan las seis horas de sueño.

En las grandes ciudades la distancia entre la casa y el trabajo (5) _____ (ser) bastante grande, por eso la mayoría (6) _____ (ir) al trabajo en transporte público (metro o autobús). En general, los españoles (7) _____ (perder) entre noventa y ciento veinte minutos al día solo para ir al trabajo y volver a casa.

Los niños españoles (8) _____ (tener) muchas veces los mismos problemas que sus padres porque también (9) _____ (acostarse) más tarde y (10) _____ (dormir) menos horas de las necesarias. Los colegios españoles normalmente (11) _____ (empezar) a las nueve de la mañana, (12) _____ (tener) una pausa para comer a las trece horas y, por la tarde, (13) _____ (terminar) las clases a las cinco.

¿Qué sabes?

☺ ☺ ☹

- Hablar de rutinas.
- Hablar de horarios.
- Pedir un desayuno.
- Hablar de profesiones y del lugar de trabajo.
- Los verbos reflexivos.
- Las preposiciones por / de / a / hasta / desde.

La casa

·· Describir las partes de una casa
·· Nombres de los muebles y electrodomésticos
·· Indicar el lugar y la existencia
·· Hacer una reserva en un hotel
·· **Cultura**: Tipos de vivienda en España

4

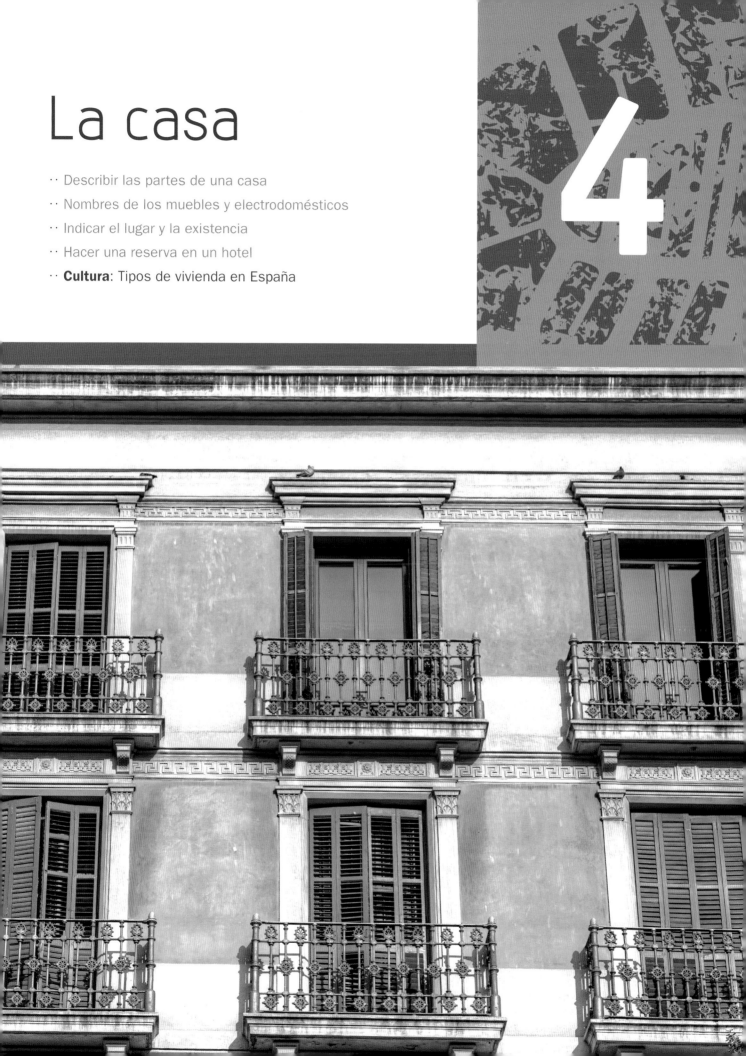

■ *Describir las partes de una casa*

Vocabulario

1   ¿Dónde vives?

☐   En un piso.
☐   En un chalé adosado.
☐   En un estudio.
☐   En un loft.
☐   En un ático.
☐   _____

2   🔘 37   Lee y escucha.

Rosa y Miguel tienen una tienda de ropa en el centro de Madrid. Tienen dos hijos y viven fuera de la ciudad en un chalé adosado con dos plantas.

En la planta baja hay un recibidor, una cocina con un pequeño comedor, un salón grande y un aseo.

En la planta de arriba hay tres dormitorios y un cuarto de baño. La casa tiene también un jardín pequeño.

3   Lee las frases y escribe verdadero (V) o falso (F).

1 Rosa y Miguel trabajan fuera de Madrid.   ☐ F
2 Viven al lado de su tienda.   ☐
3 La cocina está en la planta baja.   ☐
4 El salón es muy grande.   ☐
5 La casa tiene un garaje.   ☐
6 En la planta baja hay tres dormitorios.   ☐
7 Los dormitorios están en el piso de arriba.   ☐
8 No hay jardín.   ☐
9 Hay un pequeño aseo en la planta baja.   ☐
10 El salón está en la planta de arriba.   ☐

4   🔘 38   Completa la siguiente conversación de Rosa con su amiga Laura. Después, escucha y comprueba.

Laura: ¿Cuántas [1] _____ tiene tu casa?
Rosa: Dos. Es un chalé adosado.
Laura: ¿Dónde está el [2] _____?
Rosa: En la planta de arriba. Y en la planta baja hay un pequeño aseo.
Laura: ¿Tiene [3] _____?
Rosa: Sí, uno pequeño, al lado de la cocina.
Laura: ¿Cuántos [4] _____ tiene?
Rosa: Tres, están todos en la planta de arriba.
Laura: ¿Tenéis [5] _____?
Rosa: No, aparcamos en la calle.

5 🔊39 Escucha a Manuel hablar de su casa. Contesta a las preguntas.

1 ¿Cómo es el piso de Manu?
2 ¿Cuántos dormitorios tiene?
3 ¿Dónde está el cuarto de baño?
4 ¿Tiene terraza? ¿Cómo es?

6 En parejas. Habla con tu compañero sobre tu casa: cuántas habitaciones tiene, dónde están… Dibuja en tu cuaderno el plano.

7 Escribe la descripción de la casa de tu compañero y utiliza el vocabulario del recuadro.

> salón • comedor • cocina • jardín
> cuarto de baño • dormitorio • garaje

La casa de _____ es pequeña / grande. Tiene _____ dormitorios.

Gramática

8 🔊40 Escucha y repite.

NÚMEROS ORDINALES			
1.º / 1.ª	primero/a	**6.º / 6.ª**	sexto/a
2.º / 2.ª	segundo/a	**7.º / 7.ª**	séptimo/a
3.º / 3.ª	tercero/a	**8.º / 8.ª**	octavo/a
4.º / 4.ª	cuarto/a	**9.º / 9.ª**	noveno/a
5.º / 5.ª	quinto/a	**10.º / 10.ª**	décimo/a

Comunicación

Los ordinales **primero** y **tercero** pierden la -o delante de un nombre masculino singular.

piso primero / primer piso
piso tercero / tercer piso

■ *¿Es la primera vez que estudias en esta facultad?*
● *No... Es el tercer año que repito este curso.*

■ *Vivo en el primer piso.*
● *Y yo en el tercero.*

9 Completa las frases con un adjetivo del recuadro.

> primera • tercera • quinta • segundo • ~~primer~~

1 El ascensor está en el *primer* piso.
2 ■ ¿Luis, tú qué estudias?
   ● Estoy en _____ de Económicas.
3 ¡Qué impresionante! Es la _____ vez que veo el mar.
4 Nosotras somos tres hermanas, yo soy la
   _____ .
5 El departamento de contabilidad está en la
   _____ planta.

10 🔊41 Escucha y completa.

	PISO	PUERTA
1 Sr. González	4.º	*derecha*
2 Sra. Rodríguez		
3 Srta. Herrero		
4 Sr. Acedo		
5 Sr. de la Fuente		
6 Sres. Barroso		

11 Pregunta y contesta a cuatro compañeros, según el modelo.

■ *¿En qué piso vives?*
● *En el cuarto derecha.*

a vitrocerámica	e armario	i mesa
b lavavajillas	f frigorífico	j silla
c fregadero	g horno	
d lavadora	h microondas	

a sofá	d librería	g lámpara
b sillón	e equipo de música	h cojín
c mesita	f televisión (TV)	i alfombra

a lavabo	c espejo	e bañera
b armario	d toalla	

Vocabulario

1 Fíjate en las fotos y completa con las palabras de los recuadros.

Esta es mi casa

Mi cocina es grande y luminosa y tenemos un (1) <u>frigorífico</u> nuevo. Al lado hay un (2) _____ y debajo de este hay un (3) _____. Hay muchos (4) _____ y una (5) _____ con (6) _____ para desayunar.

En el salón-comedor tenemos un (7) <u>sofá</u> muy cómodo y dos (8) _____ pequeños. Los libros están en una (9) _____ de madera que hay junto a una planta. En el centro del salón hay una (10) _____ y una (11) _____ blanca.

El cuarto de baño es bastante grande también. Hay una (12) <u>bañera</u> y un armario. El (13) _____ está encima del (14) _____.

2 Completa las frases con la forma correcta de los verbos del recuadro.

> escuchar • guardar • ver • lavarse
> ducharse • dormir • calentar
> comer • ~~hacer~~ • leer

1 En la cocina tú <u>haces</u> la comida.
2 En el cuarto de baño tú ___ _____.
3 En el salón tú _____ la televisión.
4 En el comedor tú _____.
5 En el dormitorio tú _____.
6 En el salón tú _____ música.
7 En los armarios de la cocina tú _____ los platos y las tazas.
8 En el cuarto de baño tú ___ _____ los dientes.
9 En el salón tú _____ los libros de lectura.
10 En el microondas tú _____ la comida.

ARTÍCULOS

Determinados: **el** / **la** / **los** / **las**

- Para algo que conocemos.
  *¿Dónde está **el** gato?*

Indeterminados: **un** / **una** / **unos** / **unas**

- Para algo que mencionamos por primera vez.
  *Hay **un** gato en el jardín.*

3 Señala el artículo más adecuado.

1 *El* / *Un* ordenador está en mi dormitorio.
2 En mi clase hay *un* / *el* mapa del mundo.
3 ¿Hay *la* / *una* película buena en la tele?
4 *Los* / *Unos* libros están en mi mochila.
5 En el patio hay *unos* / *los* niños.
6 *Las* / *Unas* llaves están en la mesa de la cocina.
7 *La* / *Una* bañera está en el cuarto de baño.
8 En la cocina hay *el* / *un* fregadero.

HAY Y ESTÁ(N)

HAY + un, una, unos, unas + nombre
*En el cuarto de baño **hay** una toalla.*

HAY + muchos/as, pocos/as, algunos/as... + nombre
Hay muchos armarios en la cocina.

HAY + dos, tres, cuatro ... + nombre
*En el salón **hay** dos sillones.*

HAY + nombre
*¿**Hay** café en la cocina?*

el, la, los, las + nombre + ESTÁ(N)
*El café **está** en el armario de la cocina.*

ESTÁ(N) + preposición
*El espejo **está** encima del lavabo.*

ESTÁ + nombre propio
- *¿**Está** Juan?*
- *No, está en casa de sus abuelos.*

4 Completa las frases con *hay* / *está* / *están*.

1 Perdone, ¿*hay* un supermercado cerca de aquí?
2 Por favor, ¿dónde _____ los cines Ideal?
3 Mañana no _____ clase, es fiesta.
4 No _____ agua en la botella.
5 El comedor _____ al lado de la cocina.
6 ¿Dónde _____ las llaves?
7 ¿_____ Jesús en la oficina?
8 ¿_____ leche en la nevera?

5 Describe qué hay en tu cocina, tu cuarto de baño y tu salón. Compara la descripción con la de tu compañero.

6 🎧 42 Escucha la información sobre las casas en venta y completa la tabla.

	metros	dormitorios	baños
1			
2			
3			

7 Observa la fotografía durante treinta segundos.

Ahora cierra el libro y escribe qué cosas hay en el salón y dónde están. Compara tus resultados con los de tus compañeros. ¿Quién tiene más aciertos?

Hay una planta. Está encima de la mesita.

Vocabulario

1 Relaciona las siguientes palabras con los símbolos de las instalaciones del hotel.

1 piscina   e
2 habitación individual ☐
3 habitación doble ☐
4 restaurante ☐
5 tarjetas de crédito ☐
6 garaje ☐

a

b

c

d

e

f

2 🔊 43 Escucha y completa el siguiente diálogo.

Recepcionista: Parador de Córdoba, ¿dígame?
Carlos: Buenas tardes. ¿Puede decirme si hay habitaciones libres para el próximo fin de semana?
Recepcionista: Sí. ¿Qué desea, una habitación [1] _____ o [2] _____ ?
Carlos: Una doble, por favor. ¿Qué precio tiene?
Recepcionista: [3] _____ por noche más IVA.
Carlos: De acuerdo. Hágame la reserva, por favor.
Recepcionista: ¿Cuántas noches?
Carlos: [4] _____ y [5] _____, si es posible.
Recepcionista: No hay problema.
Carlos: ¿Hay [6] _____?
Recepcionista: Sí, señor, hay una.
Carlos: ¿Admiten tarjetas de crédito?
Recepcionista: Sí, por supuesto.

3 Practica este diálogo con tu compañero.

4 🔊 44 Escucha el final del diálogo anterior y completa la ficha de reserva.

HOTEL

Nombre: *Carlos*
Apellidos:
Dirección:
Ciudad:
N.° de teléfono:
Sencilla o doble:
N.° de noches:

Leer

5 🔊45 Lee y escucha.

Los patios

Los patios son lugares comunes para encontrarse, para jugar, para charlar, para descansar.

Hay muchos tipos de patios: el patio del colegio, donde los niños pasan el recreo; el patio andaluz, en el sur de España, lleno de macetas con flores, que en verano protege del calor y es un lugar de descanso y de conversación.

En las ciudades tenemos el patio interior, donde la gente tiende la ropa y habla con los vecinos de enfrente.

En Hispanoamérica muchas casas coloniales conservan bellos patios llenos de plantas tropicales que ayudan a pasar las horas más calurosas del día.

En la ciudad andaluza de Córdoba, el segundo fin de semana de mayo se celebra el Festival de los Patios. Los vecinos abren sus casas, y vecinos y turistas pueden visitar sus hermosos patios.

6 ¿Verdadero (V) o falso (F)?

1 En los colegios hay un patio.	V
2 En las ciudades no hay patios.	☐
3 En los patios coloniales hay plantas tropicales.	☐
4 Córdoba está en el norte de España.	☐
5 El Festival de los Patios de Córdoba es el 1 de mayo.	☐
6 Los turistas siempre pueden visitar los patios cordobeses.	☐

Pronunciación y ortografía

c / qu

1 🔊46 Escucha y repite.

queso **cuarto** **cuanto**
quinto **casa** **comedor**

2 ¿Qué sonido se repite en todas las palabras?

El sonido /**k**/ se escribe **qu** antes de **e, i**
y se escribe **c** antes de **a, o, u**.

3 Completa con *qu* o *c*.

1 __uando
2 __ién
3 __uatro
4 tran__ilo
5 __ocina
6 __erer
7 __ímica
8 __omer
9 médi__o
10 E__uador
11 pe__eño
12 __inientos
13 __ampo
14 a__ostarse
15 pelu__ero
16 __uince

A

B

C

D

Hablar

1 ¿En qué lugar puedes encontrar las viviendas que aparecen en las fotos? Coméntalo con tu compañero.

1 En un pueblo. ☐   3 En la montaña. ☐

2 En una ciudad. ☐   4 En la playa. ☐

Leer

2 Lee los textos y relaciónalos con las fotos.

¿En el norte o en el sur?

1 En el sur de España, Andalucía, las casas son blancas y con terrazas. Muchas tienen un patio y están decoradas con plantas y flores. ☐

2 En el norte, la mayoría de las casas son de piedra, con gruesos muros para protegerlas del frío y tejados inclinados para evitar la acumulación de nieve y agua. La mayoría tiene una huerta para cultivar los productos de la tierra. ☐

3 En la costa mediterránea hay muchas viviendas destinadas al turismo: pequeñas urbanizaciones de chalés y apartamentos y grandes hoteles se mezclan con las viviendas tradicionales. ☐

4 Una gran parte de la población vive en las ciudades. En ellas encontramos bloques de pisos y apartamentos. Las urbanizaciones de chalés adosados son cada vez más frecuentes en las afueras de la ciudad. ☐

3 Completa las frases.

1 Andalucía está _____.
2 En los patios andaluces hay _____.
3 En el norte de España muchas casas _____.
4 En la costa mediterránea hay _____.
5 En las ciudades mucha gente _____.

4 Contesta a las siguientes preguntas.

1 ¿En qué zona de España muchas casas tienen patio?
2 ¿De qué material son las casas del norte de España?
3 ¿Dónde hay muchos apartamentos, chalés y hoteles?
4 ¿Dónde vive la mayoría de la población?
5 ¿Dónde se encuentran los chalés adosados?

Hablar

5 Imagina que estás de vacaciones en alguna de las diferentes zonas de España. Contesta a las preguntas de tu compañero.

1 ¿En qué parte de España estás?
2 ¿En qué tipo de casa?
3 Describe la casa.

Escribir

6 Escribe un correo electrónico a tu familia o a algún amigo y describe la casa en la que pasas tus vacaciones. Utiliza las ideas de la actividad anterior.

Mensaje nuevo

Enviar Chat Adjuntar Agenda Tipo de letra Colores Borrador   Navegador de fotos Mostrar plantillas

Para:
Asunto:

Hola, _____:

Estoy de vacaciones en _____ con _____.

Estoy en un / una _____. Está cerca de
_____. La casa es grande / pequeña /
luminosa...

Tiene _____ habitaciones,
_____, _____,
_____ y _____.

En este momento, estoy en _____.

¡Hasta pronto!
Muchos besos

Escuchar

7 🔊47 Escucha la entrevista con Patricia y elige la opción correcta.

1 ¿Con quién pasa Patricia las vacaciones?
  a) Con su marido y sus hijos.
  b) Con su amigo Juan y su mujer.
  c) Con su marido, su amigo Juan y su mujer.

2 ¿Dónde se aloja?
  a) En un hotel.
  b) En un *camping*.
  c) En su casa.

3 Su casa es:
  a) un chalé.
  b) un apartamento.
  c) un piso.

4 ¿Dónde pasa las vacaciones?
  a) En la montaña.
  b) En la playa.
  c) En un crucero en el mar.

5 Su casa tiene:
  a) tres dormitorios y dos baños.
  b) dos baños y dos dormitorios.
  c) tres dormitorios y un baño.

6 También tiene:
  a) garaje y terraza.
  b) jardín y garaje.
  c) jardín y terraza.

Hablar

Alumno A (alumno B, ver «En parejas»)

8 Pregunta a B la información que falta en el anuncio del Hotel Miramar.

1 ¿En qué planta están: *el restaurante, la recepción, la peluquería, el garaje?*
2 Pregunta el precio de la habitación individual: *¿Cuánto cuesta ...?*
3 Pregunta el horario del desayuno: *¿A qué hora se puede desayunar?*

9 Responde a las preguntas de B.

Hotel *Miramar*

Quinta planta: Cafetería
Cuarta planta: _____
Tercera planta: Sauna y gimnasio
Segunda planta: _____

Primera planta: Salón de conferencias
Planta Baja: _____
Sótano: _____

Precios
Habitación individual: _____
Habitación doble: 145 €

Comidas
Desayunos: _____
Comidas: de 13 a 15 h
Cenas: de 20 a 23 h

1 ¿En qué parte de la casa están normalmente las siguientes cosas?

1 cama: *en el dormitorio*
2 microondas: _____
3 sillones: _____
4 equipo de música: _____
5 espejo: _____
6 lavavajillas: _____
7 bañera: _____
8 televisión: _____

2 ¿Qué hay en cada habitación?

1 salón-comedor	*sillones,*
2 cocina	
3 dormitorio	
4 cuarto de baño	

3 Completa la siguiente serie de ordinales.

Primero, _____ **, tercero,**
_____ **,** _____ **,**
sexto, _____ **, octavo, noveno,**
_____ **.**

4 Elige la forma correcta.

1 En la clase *hay / están* muchos estudiantes.
2 En mi casa la televisión no *hay / está* en el salón.
3 *Hay / Está* una cafetería aquí cerca.
4 ¿Dónde *hay / están* las llaves?
5 En la nevera *hay / está* carne.
6 La información *hay / está* en internet.
7 ¿Dónde *hay / está* el bolígrafo rojo?

5 Completa con *un / una / unos / unas / el / la / los / las.*

1 Esta noche no salimos. Nos quedamos en casa y ponemos *una* película de vídeo.
2 En _____ cocina hay cosas para comer. Podemos hacer _____ bocadillos.
3 ■ ¿Tienes queso?
  ● Sí, hay _____ paquete en _____ nevera.
4 ■ ¿Hay jamón?
  ● No, pero tengo _____ anchoas muy ricas.
5 ■ ¿Ponemos _____ poco de tomate?
  ● Sí, aquí hay _____ tomate bastante grande.
6 ■ ¿Dónde están _____ servilletas?
  ● En _____ cajón de la derecha.
7 ■ ¿Quieres _____ cerveza?
  ● No, prefiero _____ refresco.
8 Aquí están _____ vasos pequeños.

6 Relaciona cada pregunta con su respuesta.

1 ¿Qué tipo de habitación desea?
2 Buenas tardes, ¿hay habitaciones libres?
3 ¿Admiten tarjetas de crédito?
4 ¿Para cuántas noches?
5 ¿Cuál es el precio de la habitación?

a Para el fin de semana.
b Sí, por supuesto.
c Una doble.
d Con desayuno, 90 euros.
e Sí, tenemos una individual y dos dobles.

7 Ordena en tu cuaderno el diálogo del ejercicio anterior.

¿Qué sabes?

☺ ☺ ☹

· Describir las partes de la casa. ☐ ☐ ☐
· Los números ordinales del 1.º al 10.º. ☐ ☐ ☐
· La diferencia entre *hay* y *está*. ☐ ☐ ☐
· Reservar una habitación en un hotel. ☐ ☐ ☐
· Escribir sobre las vacaciones. ☐ ☐ ☐

Comer

5

1

2

3

Vocabulario

1 ¿Conoces algún plato español? Escribe los nombres junto a la fotografía correspondiente.

> gazpacho • tortilla de patatas
> arroz a la cubana

2 Observa el menú del restaurante La Morenita, después escucha el diálogo y completa la tabla.

	TERESA	JUAN
primer plato	*ensalada mixta*	
segundo plato		
bebida		
postre		

3 Mira la carta del menú y elige qué quieres comer de primer plato, segundo plato, bebida y postre. Luego, en grupos de tres, practica varias veces. Uno hace de camarero y los otros, de clientes.

Comunicación

- ¿Qué van a tomar de primero?
- Yo de primero quiero…
- Pues yo…
- ¿Y de segundo?
  (…)

- ¿Qué quieren para beber?
  (…)
- ¿Y de postre?
  (…)
- ¿Me trae la cuenta, por favor?
- Sí, ahora mismo.

Mesón restaurante
La Morenita

Patio cordobés

Primeros
- Sopa de fideos
- Paella
- Judías verdes con jamón
- Ensalada mixta
- Gazpacho

Segundos
- Carne con tomate
- Lubina al horno
- Huevos con chorizo
- Filete de pollo a la plancha

12 €
incluido pan, bebida y café

Postres
- Helado de vainilla, chocolate o fresa
- Natillas
- Arroz con leche

Bebidas
- Vino de la casa
- Refresco
- Cerveza
- Agua mineral

CARDENAL GONZÁLEZ, 220 - Tel. 957 48 70 99
CÓRDOBA   www.lamorenita.es

4 Relaciona.

1 taza ☐   7 cuchara ☐
2 tenedor ☐   8 vaso ☐
3 cucharilla ☐   9 servilleta ☐
4 copa ☐   10 jarrón ☐
5 cuchillo ☐   11 plato ☐
6 mantel ☐   12 jarra ☐

A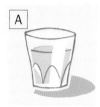
B
C
D
E
F
G
H
I
J
K
L

5 Completa con la palabra adecuada.

1 una _copa_ de vino
2 una _____ de café
3 una _____ para la sopa
4 un _____ de agua
5 un _____ de flores
6 una _____ de agua
7 un _____ para la sopa
8 un _____ para la mesa

Hablar

6 Practica con tu compañero.

■ *¿Me trae una servilleta, por favor?*
● *Sí, ahora mismo.*

Leer

7 🔊 49 Lee y escucha.

Hoy comemos fuera

En España, comer es algo que nos gusta compartir con amigos, familiares, compañeros de trabajo o estudio. Para la mayoría de los españoles es más importante la compañía que el tipo de restaurante. Al escoger un restaurante preocupa la higiene, la calidad de los alimentos y la dieta equilibrada. En un país como España, con un clima agradable, de largos días con luz, el comer o cenar fuera de casa es un hábito extendido.

Es durante los días festivos cuando más se visitan bares y restaurantes.

8 Di si estas afirmaciones son verdaderas (V) o falsas (F).

1 A los españoles les gusta comer solos.   F
2 Cuando comen fuera de casa les gusta hacerlo con familiares y amigos. ☐
3 Para los españoles lo más importante es el tipo de restaurante. ☐
4 Los restaurantes están más llenos los días laborables. ☐
5 Los españoles con frecuencia cenan fuera de casa. ☐

Hablar

9 Responde a estas preguntas y luego pregunta a tu compañero.

1 ¿Te gusta comer fuera de casa?
2 ¿Qué comes habitualmente fuera de casa: bocadillos, tapas, comidas completas, comida rápida (hamburguesa, salchichas…)?
3 ¿Cuántas veces al mes sales a comer o cenar?
4 ¿Meriendas todos los días? ¿Qué meriendas?

Vocabulario

1 ¿Te gusta el cine? ¿Qué tipo de películas te gustan? Coméntalo con tus compañeros.

a) las comedias   **d) las películas románticas**   **g) las películas de ciencia-ficción**

b) los dramas   **e) las películas policíacas**   **h) las películas de aventuras**

c) los musicales   **f) las películas de terror**

- ■ *A mí me gustan las películas de terror y de ciencia-ficción.* ☺
- ● *Pues a mí no me gustan las películas de terror.* ☹

2 Relaciona las siguientes actividades con los dibujos.

1 bailar ☐
2 montar en bicicleta ☐
3 andar ☐
4 ir de compras ☐
5 escribir un *blog* ☐
6 pintar ☐

7 navegar por internet ☐
8 nadar ☐
9 jugar al fútbol ☐
10 escuchar música ☐
11 leer ☐
12 viajar ☐

3 🔊 50 Escucha a Elena hablar de sus gustos y de los de su marido. Señala Sí o No.

	ELENA	LUIS
el cine		
andar por el campo		
ir de compras		
navegar por internet		
leer		
el fútbol		
la música		

Gramática

VERBO *GUSTAR*		
(a mí)	**me**	
(a ti)	**te**	
(a él / ella / Ud.)	**le**	
(a nosotros/as)	**nos**	gusta(n)
(a vosotros/as)	**os**	
(a ellos / ellas / Uds.)	**les**	

A Elena **le gusta** viajar.

A Jaime **le gustan** los deportes.

A nosotros no **nos gusta** el fútbol.

4 Completa las frases con un pronombre (*me, te, le...*) y *gusta* o *gustan*.

1 A María *le gusta* mucho nadar.
2 A mi marido _____ _____ ir al cine.
3 A mí no _____ _____ las películas de terror.
4 A los españoles _____ _____ mucho salir y hablar con los amigos.
5 A nosotros _____ _____ los animales.
6 ¿A vosotros _____ _____ la música tecno?
7 ¿A Ud. _____ _____ la paella?
8 ¿A ti ___ _____ los deportes de riesgo?
9 A mis padres no ___ _____ el teatro, prefieren el cine.
10 A Jorge no ___ _____ nada estudiar.

GUSTAR

+ Me **encanta** escuchar música.
  Me gusta **mucho** cocinar.
  Me gusta **bastante** leer.
  No me gustan **mucho** los deportes.
  No me gusta bailar.
− **No** me gusta **nada** ir de compras.

5 Escribe tres frases sobre tus gustos.

Me gusta mucho...

TAMBIÉN / TAMPOCO - SÍ / NO

- *Me encanta el cine.* ☺
- *A mí **también**.* ☺
- *Pues a mí **no**.* ☹
- *No me gusta montar en bicicleta.* ☹
- *A mí **tampoco**.* ☹
- *Pues a mí **sí**.* ☺

6 Pregunta a dos compañeros sobre sus gustos. Utiliza el vocabulario de la actividad 2.

- *¿Os gusta el cine?*
- *A mí no mucho, me gusta más leer.*
- *A mí tampoco.*

7 Escribe unas frases con las respuestas de tus compañeros.

A Peter no le gusta mucho el cine, pero le gusta / encanta leer.

A Nadia no le gusta nada andar, prefiere ir a la discoteca.

Leer

8 Lee los anuncios de la derecha y responde a las preguntas.

1 ¿Quién estudia en la universidad?
2 ¿A quién le gusta la fotografía?
3 ¿Quién es de Argentina?
4 ¿A quiénes les gustan los videojuegos?
5 ¿Cómo se llama el madrileño?
6 ¿Quién va a la playa habitualmente?

9 Escribe un anuncio en una hoja, pero sin poner tu nombre, y dáselo a tu profesor. Tenéis que descubrir de quién son los anuncios que el profesor os enseña.

Me llamo **Marisol**, tengo 26 años y estoy soltera. Estudio Economía y trabajo en un gimnasio de mi barrio. Me gusta viajar, conocer sitios nuevos y chatear. Busco amigos para viajar juntos por España. **Sevilla.**

Me llamo **Miguel**, tengo 25 años. Estudio Artes Gráficas en un instituto. Me encanta jugar al fútbol, jugar con videojuegos, ir a la discoteca... Busco chicos y chicas con aficiones similares. **Madrid.**

Me llamo **Tiago**, soy brasileño, de Río de Janeiro. Me gusta ir a la playa, navegar por internet, jugar con videojuegos... También me gusta ver partidos de baloncesto en la tele. ¿Por qué no me escribes? **Río de Janeiro.**

Me llamo **Olga**, tengo 32 años y soy periodista Trabajo en el periódico local de mi pueblo. Me gusta el cine, salir de copas, bailar tangos y hacer fotografías de las ciudades que visito. Escríbeme. **Buenos Aires.**

Vocabulario

1 ¿Te gusta cocinar? ¿Qué sabes hacer?

2 Completa la lista de ingredientes para hacer un batido de plátano con las palabras del recuadro.

azúcar • hielo • limón • leche • vainilla • plátanos

Batido de plátano

Ingredientes:

3 _____

1 vaso de _____

1/4 de taza de _____

1/4 de taza de zumo de _____

1/2 cucharadita de _____

8 cubitos de _____

3 Ordena las instrucciones para su preparación.

a Añade los cubitos de hielo y mézclalos con los otros ingredientes. ☐

b Pela los plátanos y córtalos en rodajas. ☐1

c Reparte la mezcla en cuatro vasos. ☐

d Mezcla los plátanos, la leche, el azúcar, el zumo de limón y la vainilla en una batidora. ☐

e Invita a tus amigos. ☐

4 🔊51 Escucha y comprueba.

Gramática

IMPERATIVO			
	cortar	comer	abrir
tú	corta	come	abre
usted	corte	coma	abra

El **imperativo** se utiliza para dar órdenes, dar instrucciones, pedir un favor y recomendar.

5 Completa las siguientes instrucciones para llevar una vida sana. Utiliza los verbos del recuadro en imperativo.

caminar • tomar • descansar
comer • evitar • ~~beber~~

Si quieres llevar una vida sana, sigue estas instrucciones.

Todos los días

1 _Bebe_ más de un litro de agua.
2 _____ tres piezas de fruta.
3 _____ durante media hora.
4 _____ más de siete horas.
5 _____ fumar.
6 _____ bebidas sin alcohol.

6 Escribe en forma de órdenes (*tú* y *usted*) y practica en voz alta.

1 Hablar más bajo.
   Habla más bajo, por favor. (tú)
   Hable más bajo, por favor. (usted)

2 Escribir tu / su nombre.
3 Terminar el trabajo.
4 Abrir la puerta.
5 Cerrar la ventana.
6 Escuchar lo que digo.
7 Tomar más verduras.
8 Ordenar tu / su cuarto.
9 Añadir azúcar al zumo.
10 Limpiar la mesa.

7 Escribe en tu cuaderno la receta de tu ensalada preferida. Después, explícasela a tu compañero.

Escuchar

8 ¿De dónde crees que son originalmente estos productos?

¿Productos de América?

Muchos de los alimentos que se comen hoy en el mundo proceden de América: el maíz, el cacao, el aguacate... Pero también hay productos que se consumen en América y que son de origen europeo: la uva, la naranja, el limón... ¿De dónde son originarios estos productos?

1 la piña
- ☐ Hawái
- ☐ Cuba y Puerto Rico

2 el cacahuete (maní)
- ☐ Georgia (Estados Unidos)
- ☐ Bolivia y Perú

3 el tomate
- ☐ México
- ☐ Italia

4 el plátano
- ☐ Ecuador
- ☐ África

5 el café
- ☐ África
- ☐ Brasil

6 la patata
- ☐ Perú y Ecuador
- ☐ Irlanda

9 🔊52 Escucha y comprueba.

Pronunciación y ortografía

b / v

1 🔊53 Escucha y repite.

Isabel vivir vino bueno Ávila viajar
botella abuelo hablar muy bien beber

La *b* y la *v* se pronuncian igual.

2 🔊54 Escucha y repite.

1 ¿Dónde vive Isabel?
2 Cuba es una isla preciosa.
3 Vicente es abogado y trabaja en Sevilla.
4 Las bebidas están en la nevera.
5 Este vino es muy bueno.
6 Valeriano viaja mucho en avión.
7 Beatriz es de Venezuela.
8 Esta bicicleta es muy barata.
9 En Valencia no hay bastantes ambulancias.
10 La abuela de Bibiana está muy bien.

3 Completa con *b* o *v*.

1 Yo ___i___o en ___arcelona.
2 Este ___atido tiene ___ainilla.
3 Camarero, un ___aso de agua, por fa___or.
4 A Isa___el le gusta ___iajar y ___ailar tangos.
5 ___e___er agua es muy ___ueno.
6 ¿Este ___erano ___as de ___acaciones?
7 La ___otella está ___acía.
8 El ___anco a___re a las nue___e.

4 🔊55 Escucha y repite.

5 🔊56 Escucha y subraya la palabra que oyes.

1 pala / bala
2 poca / boca
3 parra / barra
4 peso / beso
5 pino / vino

6 pera / vera
7 paca / vaca
8 pisa / visa
9 pata / bata
10 pez / vez

Leer

1 Lee estos anuncios de los restaurantes y después contesta a las preguntas.

1 ¿En qué estación de metro está el restaurante peruano?
2 ¿En qué restaurante podemos celebrar una reunión con nuestra familia o de negocios?
3 ¿Qué tipo de comida ofrece el restaurante Vida natural?
4 ¿Dónde podemos comer carne argentina?
5 ¿Dónde podemos tomar tapas?
6 ¿Dónde podemos comer pescado?
7 ¿Qué restaurantes ofrecen aparcacoches?
8 ¿Cuánto cuesta el menú en Casa Pepe?
9 ¿Dónde podemos tomar pizza?
10 ¿Qué restaurante tiene platos asturianos?

RESTAURANTE PERUANO
LA LLAMA

Probablemente la mejor comida peruana en Madrid

sabrosos platos peruanos

San Francisco, 12 (Detrás Hotel Sol) Metro Sol
Teléfonos: 91 654 20 82 / 91 654 20 83 • 28050 Madrid
www.restaurante_lallama.com

La Estancia
Asador restaurante

Carnes elaboradas al estilo autóctono de la campiña argentina

Cabrito Carnes Argentinas **Lechón**
Carnes gallegas Pescados a la brasa

Aparcacoches

C/ Petunias, 66 Tel.: 93 730 20 39
Barcelona   www.asadorlaestancia.com

Único sabor criollo en España

Vida natural

Restaurante vegetariano

Cocina vegetariana con productos ecológicos de la región

Nuestras especialidades:
sopas, ensaladas, pasta, pizzas y gran variedad de postres.

C/ Constitución, 112 - Tel.: 986 25 32 95 (Pontevedra)
www.vidanatural.es

RESTAURANTE
la *Alpujarra*

• Pescaditos fritos
• Pescados al horno y a la sal
• Carnes rojas

Pza. Granada, 4 Tel.: 958 00 34 20
Granada
(Aparcacoches)
www.rest_laalpujarra.es

EL PÁDEL
Cocina mediterránea

• Menú degustación
• Pinchos
• Tapas
• Menús diarios para empresas
• Salones para reuniones familiares y de negocios

Parking a 50 metros
C/ Marquesa de Toledo, 5 (Segovia)
Tel.: 921 34 05 22

www.rest_elpadel.es

Menú diario: 10 €

CASA PEPE
Pollo asado - Queso de cabrales
Chorizo a la sidra - Callos caseros
Fabada asturiana

C/ Infanta, 54 - Tel.: 949 31 50 92
Guadalajara
www.casapepe.com

Escuchar

2 Mira los mapas, escucha y relaciona.

1 México
2 Perú
3 Argentina
4 Colombia y Venezuela
5 Galicia
6 Valencia
7 Andalucía
8 Asturias

a paella
b cebiche
c arepas
d fabada
e carne asada
f gazpacho
g guacamole
h pescado y marisco

Escribir

3 Escribe un párrafo sobre la comida típica de tu país o ciudad.

En mi ciudad, los platos más típicos son: …
Este plato está elaborado con estos ingredientes: …

Hablar

Alumno A (alumno B, ver «En parejas»)

4 Pregunta a B sobre sus gustos.

¿Te gusta el chocolate?
¿Te gustan las piñas?

	MUCHO	BASTANTE	NO MUCHO	NADA
el chocolate				
las piñas				
el cordero asado				
el café con leche				
las patatas				
la carne				
el queso				
la fruta				
las ensaladas				

5 Responde a B las preguntas sobre tus gustos.

Sí, mucho. / Sí, bastante. / No, no mucho. / No, nada.

1 Con estos ingredientes vamos a elaborar un menú. ¿Cuáles son los ingredientes principales de los siguientes platos?

> huevos • ~~tomates~~ • arroz • pollo • leche
> gambas • pepinos • calamares • azúcar
> aceite • vinagre • pimientos

MENÚ

1.er plato

GAZPACHO: _tomates_, _____,
_____, _____,
_____.

2.º plato

PAELLA: _____,
_____, _____,
_____.

Postre

FLAN: _____, _____,
_____.

2 Elabora un menú con platos típicos de tu país y haz la lista de ingredientes que necesitas para su elaboración.

3 Escribe el pronombre correcto (*me, te, le, nos, os, les*).

1 A ellos _les_ gusta la música clásica.
2 A nosotros _____ gusta salir de noche.
3 A su hermana _____ gusta la paella.
4 A mí no _____ gustan los toros.
5 ¿A ti _____ gusta el fútbol?
6 ¿A vosotros _____ gustan las gambas?
7 A Luisa no _____ gusta viajar.

4 Haz frases como en el ejemplo.

1 Rosa / no gustar / animales
   A Rosa no le gustan los animales.

2 Ellos / gustar / salir
3 Nosotros / gustar / ver la tele
4 Yo / no gustar / fútbol
5 ¿Tú / gustar / flan?
6 Pepe / no gustar / la fruta
7 ¿Vosotros / gustar / nadar?

5 Escribe en imperativo las órdenes que da Maribel a su hijo.

1 ¡_Baja_ la tele! (bajar)
2 ¡_____ más verdura! (comer)
3 ¡_____ la ventana de tu dormitorio! (abrir)
4 ¡_____ una nota para tu profesor! (escribir)
5 ¡_____ cuando te hablo! (escuchar)
6 ¡_____ a tu hermana! (ayudar)
7 ¡_____ más leche! (beber)

6 Relaciona cada pregunta con su respuesta.

1 ¿Qué desea para beber?   [d]
2 ¿Y de segundo?   [ ]
3 ¿Me deja la carta, por favor? [ ]
4 ¿Y de postre?   [ ]
5 ¿Qué quiere el señor de primero? [ ]
6 ¿Desea algo más?   [ ]

a Sí, ahora mismo. Un momento.
b Una sopa de fideos, por favor.
c Un helado de vainilla.
d Agua mineral.
e No, muchas gracias.
f Pollo con patatas.

7 Ahora ordena en tu cuaderno el diálogo anterior.

¿Qué sabes?

- Pedir en un restaurante.
- Hablar de gustos.
- Hablar del tiempo libre.
- Comprender y dar instrucciones sencillas.

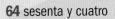

El barrio

·· Pedir información para viajar en transporte público
·· Dar instrucciones
·· Pedir favores
·· Describir el barrio donde vivimos
·· **Cultura**: Ciudades españolas

Escuchar

1 Mira el dibujo y responde. ¿Qué están haciendo Sergio y Beatriz?

a Están llamando a un taxi.

b Están comprando un billete de metro.

c Están sacando su coche del aparcamiento.

2 Completa la conversación con las expresiones del recuadro.

¿Cuánto es? • cómo se va • Puede darme décima estación • dos billetes de metro

Sergio: Perdone, queremos (1) _____, por favor.

Taquillero: ¿Sencillos o de diez viajes?

Sergio: Sencillos. (2) _____

Taquillero: 10 euros.

Sergio: Aquí tiene. Perdone, ¿puede decirme (3) _____ de Aeropuerto a Goya?

Taquillero: Pues desde aquí es muy fácil: tome usted la línea 8 hasta Mar de Cristal y cambie a la línea 4 dirección Argüelles. La (4) _____ es Goya.

Sergio: Muchas gracias. ¿(5) _____ un plano del metro?

Taquillero: Sí, claro, tome.

3 🔊 58 Escucha y comprueba.

4 🔊 58 Escucha otra vez y marca el recorrido en el plano del metro de Madrid.

5 Lee de nuevo el diálogo de la actividad 2 y completa el siguiente cuadro.

FORMAL (USTED)
▪ (1) _____ ¿cómo se va de Aeropuerto a Goya?
● (2) _____ la línea 8 hasta Mar de Cristal, allí (3) _____ a la línea 4 dirección Argüelles.

INFORMAL (TÚ)
▪ Perdona, ¿cómo voy / se va de Aeropuerto a Goya?
● Toma la línea 8 hasta Mar de Cristal, allí cambia a la línea 4 dirección Argüelles.

6 Observa la diferencia entre las formas *tú* y *usted*.

Hablar

7 Mira otra vez el plano, fíjate en las estaciones destacadas en amarillo y practica con tu compañero.

> De Aeropuerto a Arturo Soria

> De Cuatro Caminos a Fuencarral

> De Nuevos Ministerios a Ciudad Lineal

> De Bilbao a Fuencarral

> De Avenida de América a Aeropuerto

- ▪ *Perdona, ¿cómo se va de Aeropuerto a Arturo Soria?*
- ● *Toma la línea 8 hasta Mar de Cristal, allí cambia a la línea 4 dirección Argüelles. Es la tercera parada.*

Leer

8 Lee el texto y responde a las preguntas.

Madrid en Metro

El metro de Madrid tiene unos 290 kilómetros. En total hay 12 líneas y 300 estaciones. El horario de servicio al público es de seis de la mañana a una y media de la madrugada, todos los días del año.

Durante las horas de cierre del metro existe un servicio de autobuses nocturnos que salen de la plaza de Cibeles.
Hay dos tipos de billetes, además del abono transportes: el billete sencillo, que solo tiene un viaje, y el metrobús o billete de diez viajes, que también puede utilizarse en el autobús.

Los billetes se pueden comprar en las taquillas o en las máquinas del metro. El metrobús también se puede comprar en quioscos y estancos.

www.ctm-madrid.es
www.metrodemadrid.es

1 Son las seis y media, tienes que ir al trabajo, ¿está abierto ya el metro? ¿Desde qué hora?
2 Son las dos de la madrugada, ¿puedes volver a casa en metro? ¿Por qué? ¿Puedes volver en autobús?
3 ¿Cuántas veces puedes usar el billete sencillo?
4 ¿Cómo se llama el billete de diez viajes?
5 ¿Puedes usar el metrobús en el autobús?
6 ¿Dónde se compra el metrobús?

■ *Dar instrucciones*
■ *Pedir favores*

Gramática

1 🔊·59 Escucha y relaciona los dibujos con las frases.

1 ■ Carlos, siéntate en tu sitio, por favor.
  ● Voy. ☐ j

2 ■ Venga a mi oficina, quiero hablar con usted.
  ● Ahora mismo. ☐

3 ■ Pon la televisión, empieza el partido.
  ● Vale. ☐

4 ■ Cierra la ventana, por favor, tengo frío.
  ● Sí, claro. ☐

5 ■ Tome la primera a la derecha y después siga recto.
  ● Muchas gracias. ☐

6 ■ Tuerce a la derecha, esa es la calle.
  ● Ah, sí, tienes razón. ☐

7 ■ Haz los deberes antes de cenar.
  ● Vale, mamá. ☐

8 ■ Por favor, siéntese. Ahora lo atiende el doctor.
  ● Bien, gracias. ☐

9 ■ ¿Dígame?
  ● ¿Está el señor López? ☐

10 ■ Alejandro, contesta al teléfono, por favor.
  ● Vale. ☐

a

b

o

d

e

f

g

h

i

j

IMPERATIVO IRREGULAR			
hacer	poner	venir	seguir
haz	pon	ven	sigue
haga	ponga	venga	siga
torcer	cerrar	sentarse	decir
tuerce	cierra	siéntate	di
tuerza	cierre	siéntese	diga

2 Completa con el verbo en imperativo.

1 El hospital está muy cerca, (torcer, tú) _tuerce_ a la derecha por esa calle y luego (seguir, tú) _____ todo recto.

2 (Hacer) _____ tú la ensalada, mientras yo pongo la mesa.

3 ¡Carlos! (Venir, tú) _____ a tu habitación ahora mismo.

4 (Cerrar, tú) _____ la puerta, por favor, hay mucho ruido.

5 Pedro, (decir, tú) _____ la verdad. No me gustan las mentiras.

6 (Sentarse, usted) _____ un momento, ahora vuelvo.

7 Señor Ramírez, (poner) _____ el informe en la carpeta roja.

8 (Hacer, usted) _____ el trabajo este martes, por favor.

3 Completa con los verbos del recuadro.

> hacer • sentarse • poner • ~~pasar~~ • cerrar

Jefe: Señor Hernández, ¿puede venir a mi oficina, por favor?

Señor Hernández: Sí, claro.

[...]

Señor Hernández: ¿Se puede?

Jefe: Sí, sí, (1) _pase_ y (2) _____ la puerta, por favor… (3) _____. Tengo una reunión en el banco el próximo lunes y necesito la información de su departamento.

Señor Hernández: No hay problema, está todo preparado.

Jefe: Bien, (4) _____ el informe antes del lunes y (5) _____ todos los datos de este año.

4 🔊 60 Escucha y comprueba.

Comunicación

+ DIRECTO	– DIRECTO
Ven un momento. Haga ya la comida.	¿Puedes venir un momento? ¿Puede hacer ya la comida?

5 Transforma las frases como en el ejemplo.

1 Venga a mi oficina.
   ¿Puede venir a mi oficina?

2 Pon la televisión, empieza la película.

3 Cierre la ventana, por favor.

4 Hoy haz tú la cena.

5 Dime la hora, por favor.

6 Salga a la pizarra, por favor.

7 Pásame la sal. Está al fondo del armario.

8 Enciende el ordenador. Hay mucha información en internet.

9 Despiérteme a las 8, por favor.

10 Llame a Luis la semana próxima.

Escribir

6 Piensa en un compañero sentado lejos de ti en la clase y escribe una petición en un papel. Luego léelo en voz alta.

Para Svieta:
Déjame tu diccionario, por favor.
   Olga.

Puedes pedirle: Abrir / Cerrar la ventana.

Prestar dinero / un bolígrafo / un lápiz / un diccionario.

Sentarse más cerca de ti.   Encender / Apagar la luz.

Esperar a la salida de clase.

6c Mi barrio es tranquilo

■ *Describir el barrio*
donde vivimos

Leer

1 ¿Cómo es tu barrio? ¿Es tranquilo o ruidoso? ¿Está cerca de tu trabajo o del lugar donde estudias español? ¿O está lejos?

2 Lee los mensajes.

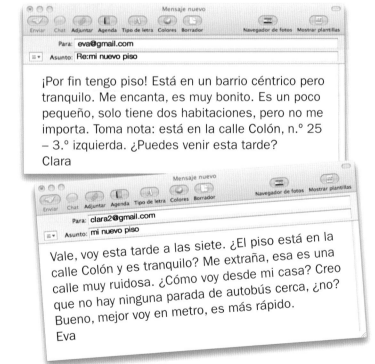

Para: eva@gmail.com
Asunto: Re:mi nuevo piso

¡Por fin tengo piso! Está en un barrio céntrico pero tranquilo. Me encanta, es muy bonito. Es un poco pequeño, solo tiene dos habitaciones, pero no me importa. Toma nota: está en la calle Colón, n.º 25 – 3.º izquierda. ¿Puedes venir esta tarde?
Clara

Para: clara2@gmail.com
Asunto: mi nuevo piso

Vale, voy esta tarde a las siete. ¿El piso está en la calle Colón y es tranquilo? Me extraña, esa es una calle muy ruidosa. ¿Cómo voy desde mi casa? Creo que no hay ninguna parada de autobús cerca, ¿no? Bueno, mejor voy en metro, es más rápido.
Eva

3 Contesta a las preguntas.

1 ¿Cómo es el piso de Clara?
2 ¿Dónde está?
3 ¿Qué piensa Eva de la calle Colón?
4 ¿Cómo va a ir Eva a visitar a Clara?

Gramática

VERBO *SER*	
es / son	grande(s) – pequeño(s) tranquilo(s) – ruidoso(s) rápido(s) – lento(s)
es	bueno / malo

VERBO *ESTAR*	
está / están	abierto(s) – cerrado(s) a la izquierda a la derecha cerca – lejos en la calle… enfrente de…
está	bien / mal

4 Subraya la forma adecuada.

1 El piso *es* / *está* en un barrio céntrico y *es* / *está* pequeño, solo tiene dos habitaciones.
2 Su casa *es* / *está* en la calle Goya, enfrente de la estación del metro.
3 El metro *es* / *está* más rápido que el autobús.
4 Fumar no *es* / *está* bueno.
5 El hospital *es* / *está* lejos de mi casa, en un barrio que *es* / *está* muy tranquilo porque *es* / *está* a las afueras de la ciudad.
6 Este ejercicio *es* / *está* mal.
7 Esta escuela *es* / *está* al lado de la parada del autobús.
8 Mi casa no *es* / *está* muy grande.
9 ¿*Son* / *Están* tus hijos en el colegio?
10 El banco *está* / *es* enfrente de mi oficina. Por las tardes no *es* / *está* abierto.

5 Haz frases con los elementos de cada columna.

Los coches
Esta calle
Los billetes de metro
La parada de autobús
La estación de metro
Las calles
Mi barrio

es
está
están
son

tranquilo
baratos
lejos
ruidosa
cerca de mi casa
muy tranquila
en el garaje
estrechas

Hablar

6 En parejas. Habla con tu compañero sobre tu barrio.

- ¿Te gusta?
- ¿Es tranquilo o animado?
- ¿Tiene mucho tráfico?
- ¿Está bien comunicado (autobús, metro, etc.)?
- ¿Tiene tiendas?

Pronunciación y ortografía

r / rr

1 🔊61 Escucha y repite.

rey arroz **perro** reloj **rojo** arriba **caro**
pero **diario** soltera **para**

El sonido /rr/ (fuerte) se escribe simple *(r)* a principio de palabra y doble *(rr)* en medio de dos vocales.
El sonido /r/ (suave) se escribe siempre simple *(r)*.

2 🔊62 Escucha y completa con *r* o *rr*.

1 ___oma
2 Inglate___a
3 Pe___ú
4 carte___o
5 compañe___o

6 ___osa
7 piza___a
8 te___aza
9 arma___io
10 ___uido

3 Dicta a tu compañero estos trabalenguas.

El perro de san Roque no tiene rabo porque Ramón Rodríguez se lo ha cortado.

Erre con erre, guitarra; erre con erre, barril; rápido ruedan las ruedas del ferrocarril.

■ *Ciudades españolas*

El barrio de **Malasaña**

1 Este barrio de Madrid es famoso por su ambiente alternativo y su vida nocturna. Es tan popular como el barrio de Camden Town de Londres, el East Village de Nueva York o el Barrio Alto de Lisboa.

2 Está situado entre las paradas de metro de Chueca y San Bernardo.

3 Por las noches, las calles de Malasaña, así como sus numerosos bares, *pubs* y restaurantes, se llenan de gente. Por eso, muchos vecinos del barrio se quejan del ruido y la suciedad que originan los visitantes.

4 El barrio debe su nombre a la joven costurera Manuela Malasaña, asesinada por las tropas napoleónicas durante la defensa de la ciudad de Madrid el 2 de mayo de 1808.

5 En el centro del barrio se sitúa la Plaza del Dos de Mayo, donde durante el día juegan los niños de la zona y por las noches se reúnen jóvenes de toda la ciudad.

Leer

1 Lee el texto «El barrio de Malasaña» y relaciona los párrafos 1-5 con los siguientes temas.

> **a** vida nocturna ☐
> **b** barrios famosos ☐
> **c** día a día en el barrio ☐
> **d** su historia ☐
> **e** localización ☐

2 ¿Verdadero o falso?

1 Malasaña es un barrio tranquilo. ☐
2 No podemos ir a los restaurantes de Malasaña en metro. ☐
3 Todos los vecinos de Malasaña se quejan del ruido. ☐
4 La plaza del Dos de Mayo debe su nombre a la batalla de los madrileños contra los franceses en 1808. ☐
5 Los niños juegan por las noches en la plaza del Dos de Mayo. ☐

Escuchar

3 🔘 63 Escucha y completa la conversación sobre Palma de Mallorca entre Andrés y Pilar.

1 Pilar está muy _____ en Palma.
2 Palma de Mallorca es una ciudad _____ y _____.
3 Está al lado del _____.
4 Tiene calles _____ y una _____.
5 Pilar se mueve por la ciudad en _____ y en _____.
6 Habitualmente el tiempo es _____.
7 Pilar vive con _____.
8 Algunos fines de semana Pilar _____.
9 Otros fines de semana va con sus amigos a conocer _____ y _____.
10 Andrés no va ahora a Palma de Mallorca porque _____.

Escribir

4 Lee el texto y observa el uso de y, *pero*, *porque*.

Santiago de Compostela

Santiago de Compostela es una ciudad situada en el noroeste de España. Tiene una población de unos 100 000 habitantes. Es una ciudad muy turística.

Me gusta Santiago porque es una ciudad muy acogedora y con muchas cosas interesantes para conocer. Lo que más me gusta es el barrio antiguo, donde está la catedral románica, rodeada de plazas medievales con agradables terrazas y calles porticadas llenas de tiendas, bares y restaurantes. No tiene metro, pero tiene una buena red de autobuses.

Puedes venir a esta ciudad, después de recorrer el Camino de Santiago, andando, en bicicleta o a caballo. Pero puedes llegar más rápido en avión porque tiene un aeropuerto moderno, al que llegan aviones de todo el mundo.

5 Completa las siguientes frases con y, *pero*, *porque*.

1 Me gustan sus restaurantes _____ sus tiendas.
2 Tiene autobuses _____ no tiene metro.
3 Voy a llevar el paraguas _____ llueve mucho.
4 Mi ciudad es pequeña _____ tranquila.
5 Madrid tiene un río _____ no tiene playa.
6 Este barrio es pequeño _____ tiene muchas tiendas.
7 Me gusta Madrid _____ es muy grande.

6 Escribe una descripción de una ciudad. Puedes utilizar las frases del recuadro.

- Es una ciudad situada en el norte / sur / oeste / este de…
- Tiene una población de…
- Lo que más me gusta es…
- Hay muchos / pocos músicos, teatros, cines, discotecas…
- Es (muy) tranquila / pequeña / grande…

Hablar

7 En grupos de tres, cada alumno elige una profesión del recuadro. Los otros dos compañeros elaboran una lista de consejos para ser un buen profesional, utilizando imperativos.

deportista • profesor/a • médica
peluquero/a • taxista • bailarín/a

Para ser un buen deportista:

- *haz ejercicio todos los días*
- *come pasta todos los días*
- *bebe mucha agua*
- *duerme ocho horas diarias*
- …

6 AUTOEVALUACIÓN

1 Completa esta nota que Juan escribe para un compañero del trabajo. Utiliza los verbos del recuadro.

> guardar • ~~hacer~~ • conectar
> apagar • cerrar

> Carlos:
> Me marcho dentro de diez minutos. El informe
> está en mi mesa, por favor (1) _haz_ las
> fotocopias y (2)_____ todo en el primer
> cajón. Después (3)_____ el despacho
> con llave y (4)_____ la alarma. Ah,
> antes de salir, (5)_____ todas las luces.
> Gracias por todo,
>   Juan

2 Relaciona los adjetivos contrarios.

1 ruidoso   a antiguo
2 bueno   b caro
3 barato   c tranquilo
4 bonito   d pequeño
5 rápido   e malo
6 nuevo   f viejo
7 grande   g lento
8 moderno   h feo

3 Completa las frases con *ser* o *estar*.

1 Mi piso nuevo _es_ bastante grande.
2 Esa oficina _____ bastante lejos de aquí.
3 Las fotocopias no _____ bien.
4 La catedral _____ en el centro.
5 Mi barrio _____ antiguo.
6 Este restaurante _____ muy ruidoso, no me gusta nada.
7 Las llaves _____ en el cajón.
8 Federico no _____ en su casa.
9 Luisa _____ muy amable.
10 Este barrio _____ muy céntrico.

4 Lee este correo y contesta verdadero (V) o falso (F).

Vacaciones

Enviar Chat Adjuntar Agenda Tipo de letra Colores Borrador

Para: Gloria@hotmail.com
Cc:
Asunto: Vacaciones
Cuenta: YOLANDA <Yolanda@wanadoo.es>

Querida Gloria:
Te escribo desde La Habana. Esta ciudad es fantástica. Mi hotel está en un barrio precioso que se llama El Vedado. Se puede pasear tranquilamente por sus calles, hay mercadillos de artesanía, algunas tiendas y restaurantes, y está al lado del mar. La mayoría de las casas son de una o dos plantas y de muchos colores: azules, amarillas, de color rosa… Otro barrio interesante es La Habana Vieja, que es la zona más antigua. Tiene algunos edificios (la catedral, el hotel Inglaterra, el Capitolio) muy bien conservados. Las calles son más estrechas y hay bastante tráfico, pero es muy agradable pasear por allí, tomar un helado y sentarse en cualquiera de las plazas.
¡Tengo muchas fotos!
Besos,
Yolanda

1 El hotel de Yolanda está en La Habana Vieja. ☐
2 El Vedado está al lado del mar. ☐
3 En El Vedado hay muchos edificios altos. ☐
4 La catedral está en La Habana Vieja. ☐
5 En la zona antigua no hay tráfico. ☐

5 Escribe un párrafo sobre tu barrio.

> ¿Es grande / pequeño / no muy grande?

> ¿Tiene mucho / poco tráfico?

> ¿Hay muchas / pocas / bastantes tiendas?

> ¿Cómo son los edificios: nuevos / antiguos?

¿Qué sabes?

☺ ☺ ☹

· Preguntar cómo ir en metro de un lugar a otro.   ☐ ☐ ☐
· Dar instrucciones y pedir favores.   ☐ ☐ ☐
· Describir un barrio.   ☐ ☐ ☐
· La diferencia entre *ser* y *estar*.   ☐ ☐ ☐
· Escribir sobre una ciudad.   ☐ ☐ ☐

Salir con los amigos

- ·· Hablar por teléfono
- ·· Concertar una cita
- ·· Hablar de acciones en desarrollo
- ·· Descripciones físicas y de carácter
- ·· **Cultura**: El tiempo libre de los jóvenes españoles e hispanoamericanos

Hablar

1 ¿Te gusta salir con los amigos? ¿Adónde vas? Coméntalo con tus compañeros.

al fútbol   a la discoteca
al cine   a casa de otros amigos

Cuando salgo con mis amigos voy a...

2 🔊 64 Lee y escucha.

Madre: ¿Sí, dígame?
Pedro: ¿Está Antonio?
Madre: Sí, ¿de parte de quién?
Pedro: Soy Pedro.
Madre: Enseguida se pone.
(...)
Antonio: ¿Pedro?
Pedro: ¡Hola, Antonio! ¿Qué haces?
Antonio: Nada, estoy viendo la tele.
Pedro: ¿Vamos al cine esta tarde?
Antonio: Venga, vale, ¿y qué ponen?
Pedro: Podemos ver la última película de Almodóvar, ¿no?
Antonio: ¡Estupendo! ¿Cómo quedamos?
Pedro: ¿A las siete en la puerta del metro?
Antonio: No, mejor a las ocho. ¿De acuerdo?
Pedro: Vale. ¡Hasta luego!

3 Ahora contesta a las preguntas.

1 ¿Qué van a hacer Antonio y Pedro?
2 ¿Dónde quedan?
3 ¿A qué hora?

4 Completa los diálogos. Utiliza las expresiones de los recuadros.

> Lo siento • Te parece bien
> Vienes conmigo • no puedo

- ¿Sí?
- ¿Está Alicia?
- Sí, soy yo.
- ¡Hola! Soy Begoña.
- ¡Hola! ¿Qué hay?
- Voy a salir de compras esta tarde. ¿(1) _____?
- (2) _____ , hoy (3) _____ , tengo mucho trabajo. Mejor mañana.
- Bueno, vale. ¿A qué hora? ¿(4) _____ a las seis?
- Sí, de acuerdo.
- Hasta mañana.

> ¿Te parece bien? • lo siento • ¿por qué no te vienes?

- ¿Diga?
- Hola, Ángel, soy Rosa.
- ¿Qué tal?
- Muy bien. Te llamo porque Luis y yo vamos a ir el sábado a Segovia, (5) _____
- ¿El sábado? No puedo, (6) _____ , es el cumpleaños de mi madre y voy a comer a su casa. Pero podemos quedar después. ¿Por qué no venís a casa a cenar?
- ¿A cenar el sábado? Vale, se lo digo a Luis y, si podemos, luego te llamo. (7) _____
- Estupendo. Espero tu llamada.
- Hasta luego.
- Hasta luego.

5 🔊 65 Escucha y comprueba.

6 Señala en los diálogos de la actividad 4 las expresiones para aceptar una propuesta y completa el cuadro.

INVITAR	ACEPTAR
¿Quedamos mañana?	Bueno, vale.
¿Te parece bien a las seis?	
¿Por qué no venís a casa a cenar?	
¿Te parece bien?	

Comunicación

Rechazar una propuesta

– Lo siento, no puedo, tengo mucho trabajo.
– No puedo, ¿te parece bien mañana?
– No, mejor a las ocho.

Hablar

7 Imagina que vives en Madrid. Practica con tus compañeros con estos datos.

PROPUESTA	¿CUÁNDO?
a ir al teatro	mañana
b comer	el sábado
c tomar una copa	esta noche
d jugar al billar	esta tarde
e ir al cine	este domingo

¿DÓNDE?	¿HORA?
a Plaza Mayor	18:00 h
b Mesón Madrid	14:30 h
c Cine Ideal	23:15 h
d Metro Callao	20:30 h
e Cine Princesa	17:45 h

- ¿Vamos al teatro mañana?
- Vale. ¿Dónde quedamos?
- En la plaza Mayor. ¿Te parece bien?
- Sí, ¿a qué hora?
- A las seis.
- Vale. ¡Hasta luego!
- ¡Hasta luego!

8 Ordena la siguiente conversación telefónica.

- No está en este momento. ¿Quiere dejarle un recado? ☐
- Muy bien, le dejo una nota. ☐
- Inmobiliaria Miramar. Buenos días. ☐
- Muchas gracias. Adiós. ☐
- Adiós. ☐
- Sí, por favor, dígale que la señora García va mañana a las once y media para hablar con él. ☐
- Buenos días. ¿Puedo hablar con el señor Álvarez? ☐

9 🔊 66 Escucha y comprueba.

Comunicación

Dejar recados

- No está en este momento. ¿Quiere dejarle un recado?
- Sí, por favor, dígale que...

Hablar

10 Practica con tu compañero las siguientes conversaciones telefónicas.

Estudiante A:

1 Llamas a Pepe para ir al cine.
2 Llamas a Julia para quedar para ir al cine.
3 Llamas a Borja y quedas para ir al cine.

Estudiante B:

1 Eres el padre de Pepe, y Pepe no está en su casa.
2 Eres Julia, no puedes ir al cine.
3 Eres Borja, te apetece ir al cine y quedas con tu compañero.

Gramática

1 Mira el dibujo y señala si las siguientes frases son verdaderas (V) o falsas (F).

1 El chico del bañador amarillo está duchándose. ☑ V

2 El señor con gafas de sol está leyendo
   el periódico. ☐

3 La señora del bañador verde está abriendo
   la sombrilla. ☐

4 Los chicos de la toalla blanca están jugando
   a las cartas. ☐

5 La joven del sombrero rojo está paseando. ☐

6 Una señora está durmiendo sobre la tumbona. ☐

7 Dos señoras están hablando en la orilla. ☐

8 Un grupo de chicas está jugando a la pelota. ☐

9 La chica del bañador rosa está secándose
   el pelo. ☐

10 La señora pelirroja está peinándose. ☐

ESTAR + GERUNDIO	
estoy	
estás	
está	
estamos	hablando
estáis	
están	

Infinitivo	Gerundio
llorar	llorando
comer	comiendo
escribir	escribiendo

GERUNDIOS IRREGULARES	
leer	leyendo
dormir	durmiendo

2 Mira los dibujos y di qué están haciendo los personajes. Fíjate en el ejemplo.

1 dormir / escuchar
No está durmiendo, está escuchando música.

2 escribir / pintar

3 hablar / cantar

4 estudiar / ver la tele

5 leer / navegar en internet

6 discutir / hablar

ESTAR + GERUNDIO (VERBOS REFLEXIVOS)

Estoy lavándo**me**. / **Me** estoy lavando.
Estás lavándo**te**. / **Te** estás lavando.
Está lavándo**se**. / **Se** está lavando.
Estamos lavándo**nos**. / **Nos** estamos lavando.
Estáis lavándo**os**. / **Os** estáis lavando.
Están lavándo**se**. / **Se** están lavando.

3 Completa las frases con el pronombre reflexivo adecuado.

1 ■ Rosa, ¿qué estás haciendo?
  ● ¿Ahora mismo? Estoy peinándo<u>me</u> porque voy a salir.
2 ■ ¡Luis, al teléfono!
  ● ¡No puedo, estoy duchándo_____!
3 ■ Niños, ¿qué hacéis?
  ● ¡Nada, mamá, _____ estamos lavando las manos!
4 ■ ¡Qué ruido hacen los vecinos!
  ● Sí, están levantándo_____ ahora porque salen de viaje.
5 ■ ¡Hola! ¿Está Roberto?
  ● Sí, pero está afeitándo_____ , llama más tarde.
6 ■ ¿Y Clara? ¿Dónde está?
  ● En el baño, está duchándo_____.
7 ■ Joana, ¿qué haces?
  ● _____ estoy pintando para salir.
8 Pero hija, ¿todavía _____ estás vistiendo? Vas a llegar tarde al colegio.
9 ■ ¿Está libre el baño?
  ● No, Jordi _____ está bañando.
10 ■ ¿Qué haces, Laura?
  ● _____ estoy lavando los dientes, enseguida acabo.

4 🔊67 Escucha y comprueba.

Pronunciación y ortografía

Entonación exclamativa

1 🔊68 Escucha y repite.

¡Vale! ¡Hasta luego! ¡Qué bien!
¡Qué va! ¡Qué bonito!
¡Es horrible! ¡Estupendo!

2 🔊69 Escucha las siguientes frases y reacciona con una de las exclamaciones anteriores.

1 *¡Qué va!* _____   5 _____
2 _____   6 _____
3 _____   7 _____
4 _____

3 🔊70 Ahora, escucha y comprueba.

Vocabulario

1 Señala en estos personajes las siguientes características físicas.

 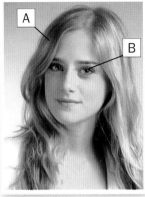

1 pelo largo y rubio ☐
2 pelo corto y moreno ☐
3 ojos claros ☐
4 ojos oscuros ☐
5 bigote ☐
6 barba ☐

2 🔊 71 Ahora completa con las características físicas anteriores las siguientes descripciones de los personajes del ejercicio 1. Después, escucha y comprueba.

1 Tiene el _____ largo y rubio. Tiene los _____ verdes. ¡No tiene _____!

2 Tiene los _____ oscuros. Tiene el _____ corto y la _____ negra.

Comunicación

es	joven ≠ mayor
	alto/a ≠ bajo/a
	delgado/a ≠ gordo/a
	calvo
tiene	el pelo largo / corto / rubio / moreno / castaño
	el pelo liso / rizado
	los ojos azules / marrones / oscuros ≠ claros
lleva/ tiene	gafas / barba / bigote

4 Describe a estas dos personas. ¿Sabes quiénes son?

3 🔊 72 Escucha las descripciones y relaciónalas con las siguientes fotografías.

A

B

C

D

5 Piensa en un compañero de clase y toma nota sobre su físico sin escribir su nombre.

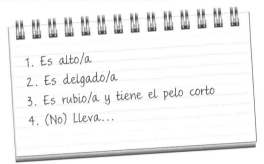

1. Es alto/a
2. Es delgado/a
3. Es rubio/a y tiene el pelo corto
4. (No) Lleva...

6 Utiliza esas notas para describir a esa persona en voz alta. ¿Saben tus compañeros quién es?

Vocabulario

7 Relaciona.

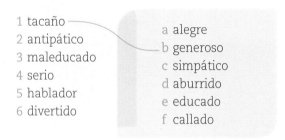

1 tacaño
2 antipático
3 maleducado
4 serio
5 hablador
6 divertido

a alegre
b generoso
c simpático
d aburrido
e educado
f callado

8 ¿Qué palabra utilizas para describir el carácter de estas personas?

1 Nunca gasta dinero.
2 Nunca habla.
3 Siempre está hablando.
4 Siempre está sonriendo.
5 Actúa con mucha educación.
6 Hace muchos regalos.

9 Completa el párrafo con los verbos del recuadro.

gusta • gustan (x2) • es • favorita • odia • generosas

Dolores Fuentes es periodista. Ella dice que (1) *es* simpática, alegre y muy habladora. Le gustan las personas (2) _____. En su tiempo libre le (3) _____ mucho pasear por la playa y mirar el mar. Su comida (4) _____ es el cocido madrileño, que normalmente toma con una copa de vino tinto.
Dos de sus aficiones son: el cine y la música clásica. Le (5) _____ mucho las películas antiguas, su favorita es *Tiempos modernos*, de Charlie Chaplin.
(6) _____ las guerras y tampoco le (7) _____ nada las personas antipáticas y maleducadas.

Hablar

10 Primero lee las preguntas y luego haz la encuesta a tu compañero. Utiliza el vocabulario que has aprendido.

1 ¿Cómo eres tú? *Simpático y hablador.*
2 ¿Cómo te gustan las personas?
3 ¿Qué tipo de personas no te gustan?
4 ¿Qué prefieres hacer en tu tiempo libre?
5 ¿Cuál es tu comida preferida?
6 ¿Cuál es tu bebida preferida?
7 ¿Cuál es tu deporte favorito?
8 ¿Qué tipo de música prefieres?
9 ¿Cuál es tu película favorita?

Escribir

11 Escribe un párrafo parecido al de la actividad 9 sobre tu compañero.

Fátima es simpática y generosa.
Le gustan las personas alegres...

Escuchar

12 🔊73 ¿Conoces la canción *Guantanamera*? Escúchala. Anota todas las frases que entiendas y, con tus compañeros, intenta escribirla.

Los sábados por la noche

Para los jóvenes la noche del sábado es muy especial.
No tienen que estudiar, no tienen que trabajar, no tienen que aprender
los verbos irregulares... Entonces, ¿qué hacen los sábados por la noche?
Depende. No todos tienen los mismos gustos.

Tomás
dieciocho años, Costa Rica

Conozco a muchas chicas de mi edad, pero normalmente prefiero salir con mis amigos. Hay muchas cosas que nos gusta hacer juntos. Cuando tenemos suficiente dinero vamos al cine o a una cafetería. Si no, vamos a la casa de otro amigo y escuchamos música.

Carolina
diecisiete años, Perú

Yo no salgo mucho porque mis padres son muy estrictos. Casi nunca me dan permiso para salir de noche. Así que me quedo en casa viendo la televisión.

Rafael
veintitrés años, Alicante

Yo siempre salgo con mi novia y mis amigos. Normalmente vamos al cine y a tomar algo. A veces nos reunimos en casa de alguien y jugamos con los videojuegos.

Leer

1 Lee el texto anterior y señala verdadero (V) o falso (F).

1 Los jóvenes tienen que estudiar los sábados por la noche. ☐
2 No todos los jóvenes tienen los mismos gustos. ☐
3 Tomás, algunas veces, va al cine. ☐
4 Carolina se queda en casa, viendo la televisión. ☐
5 Rafael sale solo con sus amigos. ☐

Hablar

2 En grupos de cuatro, habla con tus compañeros.

- ¿Sales a menudo los sábados por la noche?
- ¿Con quién sales?
- ¿Adónde te gusta ir?
- ¿Sales los domingos?
- ¿Sales solo/a o con tus amigos?

Escuchar

3 🔘74 Un programa de radio quiere saber qué hacen los madrileños los fines de semana. Escucha las dos entrevistas y marca con una cruz quién hace las siguientes actividades.

	ELLA	ÉL
1 Los sábados por la tarde va al cine.	☐	☐
2 Los sábados por la mañana juega al fútbol.	☐	☐
3 Los viernes por la noche sale con sus amigas.	☐	☐
4 Los viernes por la noche va al cine.	☐	☐
5 Los domingos va al Rastro o visita una exposición.	☐	☐
6 El domingo duerme casi todo el día.	☐	☐

Escribir

4 Señala las actividades de tiempo libre que haces normalmente.

ir al cine / teatro ☐ bailar ☐ ver la tele ☐
cenar fuera de casa ☐ salir con los amigos ☐ leer ☐
ver una película en internet ☐ practicar algún deporte ☐
jugar con los videojuegos ☐ invitar a amigos a mi casa ☐
tocar un instrumento de música ☐ conectarme a internet ☐

5 ¿Cuáles de ellas haces los días laborables y cuáles los fines de semana?

DÍAS LABORABLES	FINES DE SEMANA

6 ¿Con quién las haces?

con mi familia
con mis compañeros
con mis amigos
yo solo

7 Con toda la información anterior, escribe un texto sobre las actividades que realizas en tu tiempo libre. Utiliza las palabras del recuadro.

los días laborables • siempre
los fines de semana • normalmente
nunca • además • también

1 Mira la sección de espectáculos del periódico y busca la siguiente información.

ESPECTÁCULOS			
TELEVISIÓN	CINE	TEATRO	MÚSICA
viernes La 2, 22 h: Documental *Exiliados*.	Cine Ideal, 22.30 h: *La piel que habito,* de Pedro Almodóvar.	Teatro Lope de Vega, 23 h: *El fantasma de la Ópera* (musical).	Palacio de Vistalegre, 21.30 h: *Nabucco*, de Verdi.
sábado Canal+, 22.30 h: *Katmandú, un espejo en el cielo*, de Iciar Bollain.	Cinema Azul, 20 h: *Chico & Rita*, de Javier Mariscal y Fernando Trueba.	Teatro Albéniz, 22.30 h: *La Gaviota*, de Chejov.	Casa Patas, 24 h: *Concierto flamenco*.
domingo Antena 3, 20.30 h: *Fútbol*, Real Madrid-Barcelona.	Cine Princesa, 20.15 h: *Güelcom*, de Yago Blanco.	Teatro Fígaro, 22.30 h: *Bodas de sangre*, de García Lorca.	Palacio de Congresos, 21 h: Concierto de David Bisbal.

a ¿Qué ponen en la tele el viernes?
b ¿Dónde ponen *El fantasma de la Ópera*?
c ¿Qué podemos ver en Casa Patas?
d ¿A qué hora empieza la película de Iciar Bollain?
e ¿Qué equipos juegan al fútbol el domingo por la tarde?
f ¿Qué película podemos ver el domingo?
g ¿Qué obra ponen en el Teatro Fígaro?
h ¿Quién canta el domingo en el Palacio de Congresos?

2 Lee esta conversación y completa.

■ El hermano de Luisa me gusta mucho, siempre está sonriendo y puedo hablar con él de todo.
● Es verdad. Luisa dice que hace regalos a todo el mundo y que tiene muchos amigos.
■ Sin embargo su novio es completamente distinto, no le gusta nada gastar dinero y tampoco habla mucho.
● Sí, es muy serio, pero siempre se comporta con mucha educación y a ella eso le gusta.

El hermano de Luisa es (1) _____, (2) _____ y (3) _____.
El novio de Luisa es (4) _____, (5) _____ y (6) _____.

3 Describe lo que están haciendo los personajes del dibujo. Utiliza los verbos del recuadro.

reír • comer • discutir • escuchar • hablar

Ana se está riendo.

De vacaciones

8

- ·· Preguntar e indicar cómo se va a un lugar
- ·· Hablar del pasado (ayer)
- ·· Hablar del tiempo meteorológico
- ·· Los meses y las estaciones del año
- ·· **Cultura**: De vacaciones por España

■ *Preguntar e indicar cómo se va a un lugar*

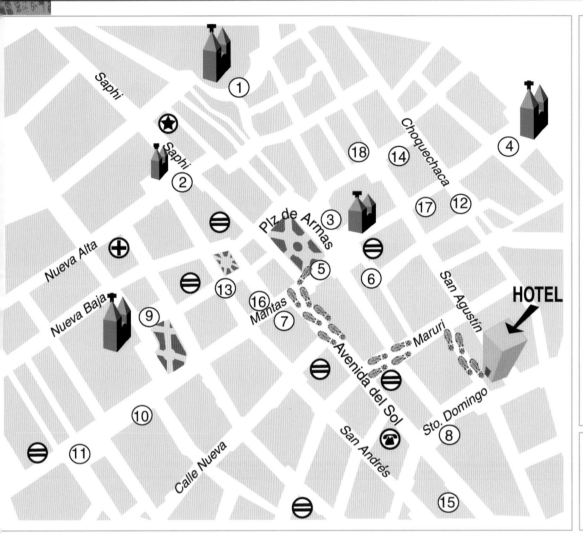

1 San Cristóbal
2 Santa Teresa
3 Catedral
4 San Blas
5 La Compañía
6 Santa Catalina
7 La Merced
8 Santo Domingo
9 San Francisco
10 Santa Clara
11 San Pedro
12 Piedra de los 12 Ángulos
13 Casa de Garcilaso
14 Monasterio de Nazarenas
15 Centro de Arte Nativo
16 Oficina de Correos
17 Museo de Arte
18 Museo Arqueológico

⊖ Farmacia
☎ Central telefónica
⊕ Posta sanitaria*
★ Estación de policía

*Dispensario

Hablar

1 Mira el plano de Cuzco y encuentra:

> una farmacia   una posta sanitaria
> la iglesia de San Francisco
> la oficina de correos   el Museo de Arte

2 Escribe frases como en el ejemplo.

> *Hay una farmacia en la calle...*
> *La iglesia de San Francisco está en la calle...*

Comunicación

sigue (siga) todo recto	gira (gire) a la izquierda	gira (gire) a la derecha	toma (tome) la 2.ª a la derecha

3 🔊75 Luis está en el hotel y quiere ir a la plaza de Armas. Lee y escucha el diálogo. Sigue el recorrido en el plano.

Luis: Buenos días, perdone, ¿puede decirme cómo se va a la plaza de Armas?

Recepcionista: Sí, ¡cómo no! Es muy sencillo. Al salir del hotel gire a la derecha y siga todo recto hasta el final de la calle. Entonces gire a la izquierda. Siga recto y tome la tercera calle a la derecha, la avenida del Sol, y al final de la avenida, a la derecha, se encuentra la plaza de Armas.

Luis: Entonces, salgo a la derecha, giro a la izquierda y en la avenida del Sol giro a la derecha. La plaza está al final de la calle, a la derecha, ¿no es así?

Recepcionista: Así es, señor. En quince minutos puede estar allí.

Luis: Muchas gracias. ¡Hasta luego!

4 Mira el plano y completa los diálogos.

1 Desde el hotel:

- Perdone, ¿puede decirme dónde está la farmacia más cercana?
- _____ la calle Santo Domingo, gire la primera _____ y, después, la primera _____ .

2 Desde la iglesia de San Francisco:

- Por favor, ¿puede decirme cómo se va a la iglesia de Santa Teresa?
- Gire _____, después tome la se- gunda calle _____, la calle Nueva Alta, y al final de la calle, _____, está la iglesia de Santa Teresa.

5 🔊 76 Escucha y comprueba.

Plaza de Armas

6 Estáis en la iglesia de Santa Teresa. Mirando el plano de Cuzco, haz las siguientes preguntas a tu compañero. Luego él te hará otras.

1 Perdone, por favor, ¿para ir a la catedral?

2 ¿Puede decirme cómo se va a la plaza de Armas, por favor?

3 ¿La iglesia de San Francisco, por favor?

4 Disculpe, ¿la posta sanitaria, por favor?

Vocabulario

7 Mira los dibujos y escribe la letra correspondiente.

1 medicinas ☐c
2 fruta y carne ☐
3 periódico ☐
4 sellos y tabaco ☐
5 cartas ☐
6 policía ☐

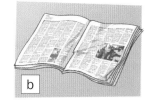

a

b

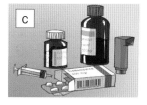

c

d

e

f

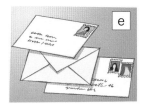

8 Relaciona los establecimientos con el vocabulario anterior.

1 correos ☐

2 quiosco ☐

3 farmacia ☐

4 mercado ☐

5 estanco ☐

6 comisaría ☐

Gramática

1 ¿Adónde fuiste el sábado?

- ■ *Yo fui a...*
- ● *Yo no salí, me quedé en casa.*

2 ¿Qué hizo la doctora Ramírez ayer? Relaciona las frases con las imágenes.

1 Salió de casa a las ocho de la mañana. ⬜ d
2 Empezó a trabajar a las ocho y media. ⬜
3 Comió en la cafetería del hospital. ⬜
4 Terminó de trabajar a las cinco de la tarde. ⬜
5 Por la tarde, fue al supermercado. ⬜
6 Compró algo de fruta para la cena. ⬜

PRETÉRITO INDEFINIDO

Verbos regulares

	trabajar	comer	salir
yo	trabaj**é**	com**í**	sal**í**
tú	trabaj**aste**	com**iste**	sal**iste**
él / ella / Ud.	trabaj**ó**	com**ió**	sal**ió**
nosotros/as	trabaj**amos**	com**imos**	sal**imos**
vosotros/as	trabaj**asteis**	com**isteis**	sal**isteis**
ellos / ellas / Uds.	trabaj**aron**	com**ieron**	sal**ieron**

3 Escribe las siguientes frases en pretérito indefinido.

1 Ayer / no leer / el periódico. (yo)
   Ayer no leí el periódico.
2 El lunes / Juan y yo / comer / en un restaurante nuevo.
3 Anoche / cenar / con María. (nosotros)
4 Mis amigos / no trabajar / el sábado por la noche.
5 ¿Comprar / ayer / el periódico? (tú)
6 Eduardo / llevar / al niño al colegio.
7 ¿Salir / el viernes por la noche? (vosotros)
8 La semana pasada / conocer / a los padres de Juan. (yo)
9 ¿Llamar / a Juan / ayer? (tú)
10 El sábado pasado / ver / una película. (nosotros)

4 Completa las frases con la forma correcta de los verbos del recuadro.

comer • nacer • salir • cambiar • viajar

1 ■ ¿Dónde _____ (tú)?
   ● En Córdoba.
2 Ayer _____ (nosotros) en un restaurante peruano.
3 El año pasado _____ (yo) en avión por primera vez.
4 ■ ¿Cuándo _____ (vosotros) de casa?
   ● A las ocho de la mañana.
5 El mes pasado _____ (ellos) de coche.

a · 18:30

b · 8:30

c · 14:00

d · 8:00

e · 18:00

f · 17:00

5 ¿Qué hizo Rosa ayer? Completa los huecos con el pretérito indefinido de los verbos.

> acabar • cenar • visitar
> pasar • llegar • ~~atender~~ • invitar

Ayer, como todos los días, me levanté a las siete de la mañana y me preparé para ir a trabajar. Al llegar al hospital, como todos los días, (1) _atendí_ a los enfermos de la consulta y (2)_____ a los pacientes de las habitaciones. A las cinco de la tarde, como todos los días, (3)_____ de trabajar y (4)_____ por el supermercado a comprar algo para la cena. A las seis de la tarde (5)_____ por fin a casa, muy cansada, como todos los días. Pero ayer fue diferente: mi marido me (6)_____ a un concierto y después (7)_____ en mi restaurante favorito.

6 🔊 77 Escucha y comprueba.

PRETÉRITO INDEFINIDO

Verbos irregulares

	ir / ser	estar
yo	fui	estuve
tú	fuiste	estuviste
él / ella / Ud.	fue	estuvo
nosotros/as	fuimos	estuvimos
vosotros/as	fuisteis	estuvisteis
ellos / ellas / Uds.	fueron	estuvieron

7 Elige la forma correcta.

1 Juan y María *estuvieron / fueron* en el parque ayer.
2 Mi hermano *estuvo / fue* el capitán del equipo el año pasado.
3 ¿*Fuiste / Estuviste* a la oficina de correos ayer?
4 Ayer *fue / estuvo* mi cumpleaños.
5 ¿Dónde *estuvieron / fueron* los últimos Juegos Olímpicos?

Escuchar

8 🔊 78 Soledad y Federico son dos ejecutivos. Escúchalos y completa el cuadro con las ciudades en las que estuvieron la semana pasada.

	Soledad	Federico
lunes		
martes		
miércoles		
jueves		
viernes		

> • Lima
> • Madrid
> • Buenos Aires
> • Río de Janeiro
> • Caracas

Hablar

9 Completa las preguntas con el pretérito indefinido.

1 ¿A qué hora (levantarse) _te levantaste_ ayer?
2 ¿A qué hora (empezar) _____ a trabajar?
3 ¿A qué hora (salir) _____?
4 ¿Dónde (ir) _____ a comer?
5 ¿Con quién (comer) _____?
6 ¿Dónde (estar) _____ después de comer?
7 ¿Cuándo (llegar) _____ a casa?
8 ¿Qué (cenar) _____?
9 ¿Qué (ver) _____ en la televisión?
10 ¿A qué hora (acostarse) _____?

10 Haz las preguntas anteriores a tu compañero y escribe lo que te dice.

Ayer mi compañero se levantó a las...

Pronunciación y ortografía

Acentuación

1 🔊 79 Escucha y señala lo que oyes.

1 a) Llevo gafas. ☐
  b) Llevó gafas. ☐
2 a) Como mucho. ☐
  b) Comió mucho. ☐
3 a) ¿Abro la puerta? ☐
  b) ¿Abrió la puerta? ☐

4 a) ¿Hablo más alto? ☐
  b) ¿Habló más alto? ☐
5 a) Entro a las ocho. ☐
  b) Entró a las ocho. ☐
6 a) Trabajo por la mañana. ☐
  b) Trabajó por la mañana. ☐
7 a) Estudio Geografía. ☐
  b) Estudió Geografía. ☐

2 🔊 79 Escucha otra vez y repite.

■ *Hablar del tiempo meteorológico*
■ *Los meses y las estaciones*

Vocabulario

1 Relaciona las siguientes expresiones con las fotos.

HOY	AYER	
1 hace frío	hizo frío	a
2 hace calor	hizo calor	
3 hace viento	hizo viento	
4 está nublado	estuvo nublado	
5 llueve	llovió	
6 nieva	nevó	

2 Contesta a las siguientes preguntas.

1 ¿Qué tiempo hace hoy?
2 ¿Qué tiempo hizo ayer?
3 ¿Hizo frío el fin de semana pasado?
4 ¿Qué tal tiempo hace en tu país en primavera / verano / otoño / invierno?
5 ¿Qué tiempo te gusta más? *Me gusta cuando...*

Comunicación

primavera   verano   otoño   **invierno**

3 Completa el siguiente calendario con el tiempo que suele hacer en tu ciudad en los distintos meses del año.

enero		julio	
febrero		agosto	
marzo		septiembre	
abril		octubre	
mayo		noviembre	
junio		diciembre	

Hablar

4 Pregunta a tu compañero.

1 ¿Cuándo es tu cumpleaños?
  Mi cumpleaños es el...
2 ¿Cuándo es el cumpleaños de tu madre?
3 ¿Cuándo es el cumpleaños de tu padre?
4 ¿Cuándo es el cumpleaños de tu mejor amigo?

Escuchar

5 Completa el texto con las palabras del recuadro.

veces • mucho • hace (x2) • primavera
altas • enero • noviembre • julio

En Toledo, durante los meses de invierno (diciembre, (1) _____ y febrero) (2) _____ mucho frío y algunas (3) _____ nieva. Durante la (4) _____ (marzo, abril y mayo), suben las temperaturas y empieza a hacer buen tiempo. En verano (junio, (5) _____ y agosto), hace (6) _____ calor: todos los días hace mucho sol y las temperaturas son muy (7) _____. En otoño (septiembre, octubre y (8) _____), los días son más cortos, el cielo está nublado y a veces llueve y (9) _____ viento.

6 🔘80 Ahora escucha y comprueba.

Escribir

7 Escribe un párrafo sobre el tiempo en tu país.

8 🔘81 Escucha el informe meteorológico y completa la tabla.

	BRASIL	CARIBE	MÉXICO
tiempo			
temperatura			

Leer

9 Lee el texto de México y contesta a las preguntas.

¿En qué festividades...
1 ... reciben regalos los niños?
2 ... las celebraciones duran dos semanas?
3 ... se encienden velas?
4 ... se utilizan trajes regionales?
5 ... se baila en las calles?
6 ... se representa la muerte de Jesucristo?

Ven a disfrutar de tus vacaciones en
México y participa
con nosotros en nuestras fiestas tradicionales

Carnaval: Los festejos de Carnaval se celebran en febrero. Empiezan el viernes y terminan el martes de la semana siguiente. Durante estos días la gente baila en las calles, en los hoteles y en las casas de la ciudad, en un ambiente muy alegre. Las mujeres se visten con hermosos trajes regionales y bailan sus danzas tradicionales.

Semana Santa: La Semana Santa se celebra en marzo o en abril. Los habitantes de los pueblos hacen procesiones, llevan velas y ofrecen flores. También se realizan representaciones de los principales hechos de la pasión y muerte de Jesucristo.

Día de los Muertos: El 1 de noviembre pueblos enteros van a las tumbas de sus muertos, llevándoles dulces, comida y flores. El espectáculo es impresionante por la noche cuando se encienden las velas en los cementerios.

Fiestas de Navidad y Año Nuevo: Estas fiestas empiezan el 24 de diciembre y terminan el 6 de enero, cuando los tres Reyes Magos dejan juguetes y golosinas en los zapatos de los niños.

Vacaciones en ESPAÑA

Hay tantas cosas que ver en España que es difícil seleccionar las más interesantes. Si empezamos por el noroeste, podemos visitar Galicia y allí pararnos a ver Santiago de Compostela y su catedral. Siguiendo por la costa cantábrica, el viajero descubre paisajes inolvidables de praderas suaves y pequeñas playas entre acantilados. Desde el País Vasco nos dirigimos a Cataluña, que mira al Mediterráneo. La ciudad catalana más importante es Barcelona, puerto de mar y punto de partida y llegada de barcos de todo el mundo. Podemos seguir nuestro viaje por la costa mediterránea para disfrutar de las ciudades y playas que llegan hasta Almería y Málaga, en Andalucía. También la comunidad andaluza merece una atención especial por los restos de cultura árabe que se pueden ver en Córdoba, Sevilla y Granada, especialmente. Desde Córdoba podemos ir a Madrid, atravesando la Mancha, la tierra de Don Quijote, el héroe de Cervantes. Aquí acaba nuestro viaje por esta vez, pero aún nos quedan por ver muchos otros paisajes y ciudades.

Leer

1 Con tu compañero elabora una lista de ciudades y monumentos españoles.

2 🔊 82 Lee el texto «Vacaciones en España» y después escucha.

3 Señala verdadero (V) o falso (F).

1 La catedral de Santiago está en Galicia. ☐
2 Barcelona está en la costa cantábrica. ☐
3 En Córdoba hay restos árabes. ☐
4 Almería no tiene playa. ☐
5 La Mancha está al sur de Madrid. ☐

4 Señala en el mapa el recorrido del viaje propuesto en el texto.

Escribir

5 Lee el blog de Sara. ¿Dónde estuvo de vacaciones? ¿Con quién fue? ¿Qué tiempo suele hacer en esa zona de España?

EL BLOG DE SARA

La Semana Santa pasada fui con mis amigos a Granada, en el sur de España. El viaje fue muy interesante. Es una ciudad de origen árabe. Visitamos La Alhambra. Sus edificios y jardines forman el conjunto más importante de arte musulmán en Europa. Por la noche cenamos en el barrio del Sacromonte y vimos un espectáculo flamenco. Al día siguiente subimos a Sierra Nevada. Pasamos el día esquiando con un tiempo estupendo. Otro día estuvimos en la costa. Sus habitantes dicen que allí hace sol más de 320 días al año. Nos bañamos en las playas de Almuñécar y comimos un arroz buenísimo en un restaurante junto al mar. Fueron unos días estupendos. Os recomiendo a todos este viaje.

ENTRADAS
• Enero (2)
• Febrero (6)
• Marzo (2)
• Abril (1)
• Mayo (3)
• Junio (2)

DÓNDE
🍽 comer
🖼 museos
🎭 teatros
🛏 hoteles

BLOGS RELACIONADOS
✉ contacto

6 Prepara unas notas sobre tus últimas vacaciones.

- ¿Dónde estuviste?
- ¿Con quién viajaste?
- ¿Qué actividades realizaste?
- ¿Qué sitios visitaste?
- ¿Qué comiste?
- ¿Qué tiempo hace en esa zona?

7 Ahora escribe una descripción del lugar donde pasaste tus últimas vacaciones.

Escuchar

8 🔊83 Escucha este programa de radio sobre Barcelona. ¿Las frases siguientes son verdaderas (V) o falsas (F)? Corrige las falsas.

1 Barcelona está en el interior de España. ☐
2 Montserrat Caballé es una cantante de rock. ☐
3 Montserrat Caballé grabó con Freddie Mercury la canción «Barcelona». ☐
4 Podemos ver las mejores obras de Miró en Palma de Mallorca. ☐
5 Joan Manuel Serrat es muy conocido en los países de habla hispana. ☐
6 Arancha Sánchez Vicario ganó una vez el torneo de tenis de Roland Garros. ☐

Hablar

Alumno A (alumno B, ver «En parejas»)

9 Tú y tu compañero os encontráis en la esquina de la calle Argentina con la calle Ecuador. Pregunta a B cómo se va a los siguientes lugares.

> el colegio • el estanco • el supermercado
> el hotel • el restaurante

- ¿Puedes decirme cómo se va al colegio?
- Ve por la calle Argentina y toma la primera a la derecha, la calle Mayor. Sigue recto y, después de cruzar la calle Colombia, a la izquierda, junto a la parada del autobús, está el colegio.

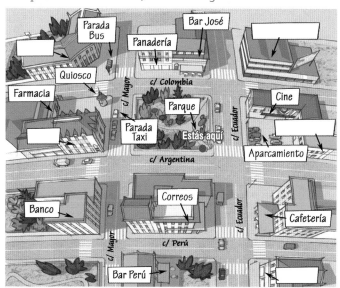

10 Tú y tu compañero os encontráis en la esquina de la calle Argentina con la calle Ecuador. Escucha a B y dile cómo se va a los lugares que te pregunta.

11 Encuentra en la clase a alguien que hizo ayer estas cosas. Pregunta a varios compañeros.

1 Se levantó antes de las ocho.
   ¿Te levantaste antes de las ocho?
2 Desayunó café con leche.
   ¿Desayunaste café con leche?
3 Fue al supermercado.
   ¿Fuiste al supermercado?
4 Comió fuera de su casa.
5 Fue al gimnasio.
6 Vio una película.
7 Navegó por internet.
8 Habló por teléfono con sus padres.
9 Cenó una ensalada.
10 Se acostó antes de las once.

1 ¿Dónde se puede(n) encontrar...

1 ... sellos? *En el estanco.*

2 ... revistas? _____

3 ... aspirinas? _____

4 ... carne y pescado? _____

5 ... un médico? _____

6 ... un policía? _____

2 ¿Verdadero (V) o falso (F)?

1 En el desierto llueve mucho. [F]

2 Cuando hace calor, no llevo abrigo. ☐

3 Siempre nieva en verano. ☐

4 En otoño caen las hojas de los árboles. ☐

5 Cuando hace mucho viento, es difícil
   abrir el paraguas. ☐

6 Cuando llueve, está nublado. ☐

3 Ordena los párrafos de la postal que Carolina escribe a Rosa.

Querida Rosa:

☐ a) *Después ellos fueron a la plaza Mayor a tomar un aperitivo y yo me fui de compras con Ana, mi compañera de piso.*

☐ b) *Segovia es una ciudad preciosa. Ayer estuve allí de excursión con unos amigos.*

☐ c) *Al final del día, Ana y yo hicimos unas fotos del acueducto. El tiempo se pasó muy rápido, pero fueron unas horas inolvidables.*

☐ d) *Por la mañana visitamos la catedral y el alcázar.*

☐ e) *Por la tarde, todos bajamos al río. Dimos un paseo muy agradable.*

¡Hasta pronto!
Carolina

CORREOS   ESPAÑA

7,49€
CONSIGNE EN SUS ENVÍOS EL CÓDIGO POSTAL

Rosa García Iglesias
c/ Príncipe, 15 – 1.º izda.
28080 Madrid

4 Completa el siguiente texto con el pretérito indefinido de los verbos.

Ayer me (1) *levanté* (levantar) a las seis y media de la mañana. Mi marido y yo (2) _____ (desayunar) juntos y después él se (3) _____ (ir) a trabajar en tren y yo me (4) _____ (ir) en coche. Mis hijos (5) _____ (estar) en el colegio hasta las tres. Luego, todos (6) _____ (comer) juntos. Por la tarde, mi marido (7) _____ (preparar) la cena y yo (8) _____ (ayudar) a mi hijo pequeño con los deberes. A las once nos (9) _____ (ir) todos a dormir.

5 🔊 84 Escucha a Sara, Lucía y Carlos hablando de sus últimas vacaciones y completa el cuadro.

1 ¿Dónde estuvieron?

2 ¿Qué transporte utilizaron?

3 ¿Con quién estuvieron?

4 ¿Cuánto tiempo estuvieron?

Sara
1
2
3
4

Lucía
1
2
3
4

Carlos
1
2
3
4

¿Qué sabes?

☺ ☻ ☹

· Preguntar e indicar cómo se va a un lugar. ☐ ☐ ☐
· Nombres de establecimientos. ☐ ☐ ☐
· Hablar del pasado. ☐ ☐ ☐
· Hablar del tiempo meteorológico. ☐ ☐ ☐
· Los meses y las estaciones del año. ☐ ☐ ☐

Compras

9

Hablar

1 Pregunta a tus compañeros.

1 ¿Te gusta ir de compras?
2 ¿Dónde compras, en tiendas pequeñas o en centros comerciales?

2 Celia y Álvaro van de compras. Completa el diálogo con las palabras del recuadro.

> cuánto cuestan • No están mal
> Gracias • preciosos

Celia: Mira estos zapatos, Álvaro, son (1) _____.

Álvaro: (2) _____, pero a mí me gustan más aquellos marrones.

Celia: Oiga, ¿(3) _____ estos zapatos negros?

Dependiente: Noventa euros.

Celia: ¿Y aquellos marrones?

Dependiente: Ciento quince euros.

Celia: ¿Ciento quince euros? (4) _____, tengo que pensarlo.

> a mí tampoco • talla • Vale • qué te parece • me la llevo

Álvaro: Celia, ¿(5) _____ esta camisa para mí?

Celia: Bien, ¿cuánto cuesta?

Álvaro: Solo sesenta euros. Voy a probármela.

Celia: (6) _____.

(...)

Celia: A ver... pues no te queda bien, ¿eh?

Álvaro: No, no, (7) _____ me gusta.

Celia: Toma, pruébate esta chaqueta, es muy bonita.

Álvaro: A ver... Pues sí, parece que me queda bien, ¿no?

Celia: Muy bien, es tu (8) _____.

Álvaro: ¿Cuánto cuesta?

Celia: Ciento veinte euros, es un poco cara.

Álvaro: Bueno, pero me gusta mucho, (9) _____.

> me lo llevo • En efectivo • ¿Cómo me queda?

Celia: Mira, ¿qué te parece este gorro? (10) _____

Álvaro: Bien, muy bien.

Celia: Pues (11) _____, solo cuesta cinco euros.

(...)

Dependiente: Una chaqueta y un gorro de lana... Muy bien, son ciento veinticinco euros. ¿Pagan en efectivo o con tarjeta?

Álvaro: (12) _____.

3 🔊85 Escucha y comprueba.

Comunicación

Pedir opinión sobre ropa

- ¿Cómo me queda esta falda?
- (No) Te queda bien / mal.
- Pues yo creo que me queda muy larga / corta / ancha / estrecha.
- ¿No te la llevas?

4 En parejas. Practica con tu compañero la conversación anterior: uno es el vendedor y el otro es el cliente. Podéis comprar un bolso, unos vaqueros, un anillo, unos zapatos, una camisa, una chaqueta, un gorro...

Gramática

PRONOMBRES DE OBJETO DIRECTO (3.ª PERSONA)

- ¿Conoces a Ismael?
- No, no **lo** conozco.

- ¿Conoces a mi mujer?
- No, no **la** conozco.

- ¿Conoces a los vecinos de arriba?
- No, no **los** conozco.

- ¿Conoces a mis hermanas?
- No, no **las** conozco.

Lo compro (el jersey)
La compro (la chaqueta)
Los compro (los pantalones)
Las compro (las gafas)

- El pronombre va detrás del imperativo: *pruébate**lo***
- Puede ir delante o detrás de perífrasis de infinitivo o gerundio:
  *Quiero comprar**lo**. / **Lo** quiero comprar.*
  *Estoy probándome**lo**. / Me **lo** estoy probando.*

5 Responde afirmativamente, usando el pronombre de objeto directo.

1 ¿Te gusta esta camisa?
   Sí, me la llevo.
2 ¿Te gustan estos zapatos?
3 ¿Te gusta esta falda?
4 ¿Te gustan estos pantalones?
5 ¿Te gusta este anillo?
6 ¿Te gusta la cartera negra de piel?

6 Completa las frases con los pronombres *lo, la, los, las.*

1 Me gusta mucho este jersey, me <u>lo</u> llevo.
2 ¿Sabes dónde están mis gafas? No _____ veo.
3 ■ ¿Quién es ese?
   ● No lo sé, no _____ conozco.
   ■ ¿Y aquella morena?
   ● Tampoco _____ conozco.
4 ■ Y tus amigos Pepa y Jaime, ¿qué tal están?
   ● No sé, hace tiempo que no _____ veo.
5 ■ ¿Te quedan bien los vaqueros?
   ● Sí, me _____ llevo.
6 ■ Ahí está Rosa, ¿____ invitas a un café?
   ● Vale.

PRONOMBRES PERSONALES DE OBJETO DIRECTO			
singular		plural	
yo	**me**	nosotros/as	**nos**
tú	**te**	vosotros/as	**os**
él	**lo / le**	ellos	**los / les**
ella	**la**	ellas	**las**
Ud.	**la / lo / le**	Uds.	**las / los / les**

*Yo **te** quiero, ¿tú **me** quieres?*
*¿Ismael **os** quiere?*

7 Construye frases con los pronombres.

1 Yo / invitar / a ti
   Yo te invito.
2 ¿Tú / invitar / a mí?
3 Ellos / invitar / a nosotros
4 Nosotros / invitamos / a ellas
5 ¿Vosotros / invitar / a mí?
6 Ella / invitar / a Belén y Jorge
7 Mario / invitar / a vosotros
8 Diego / invitar / a ti
9 ¿Uds. / invitar / a Irene?
10 Alberto / no invitar / a mí

Mi novio lleva corbata

- *Los colores*
- *Describir la ropa*

Vocabulario

1 Responde.

a ¿De qué color llevas hoy la camiseta / camisa?　　b ¿De qué color son los autobuses en tu ciudad?

rojo

amarillo

verde

azul

rosa

naranja

marrón

negro

morado

blanco

2 Mira el dibujo, ¿a qué persona corresponde cada una de las descripciones?

Bárbara

Charlie

Javier

Ignacio

Marta

1 Lleva un vestido verde y unos zapatos blancos.
2 Lleva unos pantalones rojos, una camisa blanca y unas playeras amarillas.
3 Lleva una camisa azul, muy elegante, y una corbata blanca. También lleva un traje oscuro.
4 Lleva unos pantalones verdes, una camiseta roja y un collar a juego con los pendientes.
5 Lleva unos vaqueros, una camisa de lunares y unas zapatillas marrones.

3 Escucha y comprueba.

ADJETIVOS			
singular		plural	
masculino	**femenino**	**masculino**	**femenino**
blanco	blanca	blancos	blancas
verde	verde	verdes	verdes
azul	azul	azules	azules

Hay colores que son nombres de plantas, flores y frutos que normalmente no cambian en género ni en número:

pantalones **rosa**　　　*zapatos (de color)* **naranja**

Hablar

4 Elige dos compañeros y describe qué ropa llevan. Lee el texto en voz alta. El resto de la clase tiene que adivinar quiénes son.

5 Responde al cuestionario «Tu ropa y tú».

Tu ropa y tú

1 ¿Cómo prefieres la ropa?
a Cómoda. ○
b Elegante. ○
c Moderna. ○

2 ¿Con quién vas a comprarla?
a Con mi madre. ○
b Solo/a. ○
c Con un amigo/a. ○

3 ¿Cuándo compras ropa?
a Todos los meses. ○
b Una vez al año. ○
c Cuando necesito algo. ○

4 Si vas a una entrevista de trabajo, ¿qué te pones?
a Algo formal: un traje, por ejemplo. ○
b Algo cómodo: pantalones vaqueros. ○
c Algo informal, pero elegante: una falda bonita / una americana moderna. ○

5 Cuando vas a la fiesta de cumpleaños de un/a amigo/a, ¿qué llevas?
a Algo cómodo: camiseta y vaqueros. ○
b Algo elegante: un vestido largo / camisa y pantalón negros. ○
c Me da igual: lo primero que encuentro. ○

6 ¿Qué color es el más elegante?
a Negro ○   c Blanco ○
b Rojo ○   d Otro: _____

7 ¿Cuál es tu color preferido para la ropa? _____

6 Compara tus respuestas con las de tu compañero.

7 Relaciona los adjetivos contrarios.

1 caro
2 cómodo
3 claro
4 ancho
5 corto
6 limpio
7 moderno
8 pequeño

a oscuro
b estrecho
c incómodo
d grande
e sucio
f antiguo
g barato
h largo

Escribir

8 Escribe cinco frases utilizando los adjetivos anteriores. Fíjate en el modelo.

Rosa lleva una falda larga.

9 En parejas. Lee las frases anteriores a tu compañero, que tiene que decidir si las frases son correctas o no.

Pronunciación y ortografía

g / j

/x/	ja, je, ji, jo, ju
	ge, gi

/g/	ga, go, gu
	gue, gui

1 🎧 87 Escucha y repite.

jamón jugar rojo julio joven
gimnasia jefe jirafa geranio
genio gato goma agua guerra
guitarra guapo águila
Guadalajara gota

2 🎧 88 Escucha y señala lo que oyes.

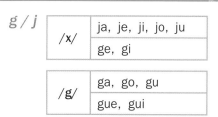

GUSTO / JUSTO   HAGO / AJO   GABÓN / JABÓN
PAGAR / PAJAR   HIGO / HIJO

TOLEDO

BUENOS AIRES

Vocabulario

1 ¿Vives en un pueblo o en una ciudad? Subraya los adjetivos que describen tu pueblo o ciudad.

> moderno/a • ruidoso/a • tranquilo/a • grande • antiguo/a
> limpio/a • pequeño/a • interesante • aburrido/a

2 Mira las fotos de Buenos Aires y Toledo, lee las frases y señala si las afirmaciones son verdaderas (V) o falsas (F).

1 Buenos Aires es más antigua que Toledo. ☐
2 Toledo es más pequeña que Buenos Aires. ☐
3 Las calles de Buenos Aires son más anchas que las calles de Toledo. ☐
4 Toledo es más ruidosa que Buenos Aires. ☐
5 Buenos Aires está más contaminada que Toledo. ☐
6 Los edificios de Buenos Aires son tan modernos como los de Toledo. ☐

Gramática

COMPARATIVOS
más + adjetivo + que   *Juan es **más simpático que** Pedro.*
menos + adjetivo + que   *Pedro es **menos simpático que** Juan.*
tan + adjetivo + como   *Juan (no) es **tan alto como** Pedro.*

3 Completa las frases con *más, menos, que, tan, como.*

1 Tu coche no es <u>tan</u> rápido <u>como</u> el de Ana.
2 Ese vestido es más caro _____ este.
3 El taxi no es _____ barato _____ el metro.
4 ¿Vuestra casa es tan grande _____ la de mis padres?
5 ¿Te gustan más estos pantalones _____ esos?
6 El avión es _____ rápido _____ el coche.
7 La bicicleta es _____ ruidosa _____ el tren.

COMPARATIVOS IRREGULARES	
bueno	**mejor / mejores + que** *Esta película es **mejor que** esa.*
malo	**peor / peores + que** *Esos pasteles son **peores que** estos.*
grande	**mayor / mayores + que** *Yo soy **mayor que** ella.*
pequeño	**menor / menores + que** *Cinco es **menor que** ocho.*

4 Completa el diálogo con los comparativos *peor(es), mejor(es)*.

Luis: Voy a preparar mi maleta para el viaje, a ver… ¿qué llevo? Mira, estos zapatos están bien, ¿no?

Carla: No, para ir a la montaña, las botas son (1) _____ que los zapatos.

Luis: Tienes razón. ¿Llevo los vaqueros?

Carla: No, para el frío son (2) _____ los pantalones de pana.

Luis: Bueno, llevo los dos y ya está.

Carla: ¿Por qué llevas la maleta azul?

Luis: Pues porque es (3) _____ que la gris, tiene ruedas.

Carla: Yo prefiero la gris, caben más cosas. Toma el paraguas, guárdalo.

Luis: ¿El rojo? No, este es (4) _____ que el negro.

Carla: Lo siento, el negro ya está en mi maleta.

5 🔊 89 Escucha y comprueba.

6 Observa la imagen y elige la opción correcta.

Carlos 40 años · Carlitos 7 años · Clara 42 años · Clarita 4 años

1 Carlos es *mayor* / <u>*menor*</u> que Clara.
2 Clara es *mayor* / *menor* que Carlos.
3 Clarita es *mayor* / *menor* que Carlitos.
4 Carlitos es *mayor* / *menor* que Clarita.

7 Relaciona. Hay más de una opción.

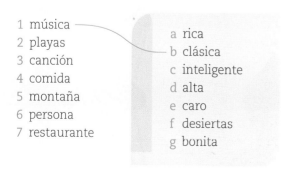

1 música
2 playas
3 canción
4 comida
5 montaña
6 persona
7 restaurante

a rica
b clásica
c inteligente
d alta
e caro
f desiertas
g bonita

8 Escribe frases, comparando.

1 El tren y el avión. (<u>*rápido*</u> / *lento*)
   El avión es más rápido que el tren.
2 Nueva York y París. (*grande* / *pequeño*)
3 Los coches y las motos. (*seguros* / *inseguros*)
4 Vivir en el campo y vivir en la ciudad. (*aburrido* / *divertido*)
5 La comida casera y la comida rápida. (*buena* / *mala*)
6 En verano y en invierno. (*bueno* / *malo*)

Hablar

9 Pregunta a tu compañero por las respuestas de la actividad anterior.

■ *¿Qué ciudad es más grande, Nueva York o París?*
● *Nueva York es más grande que París.*

Gramática

DEMOSTRATIVOS (ADJETIVOS Y PRONOMBRES)			
singular		plural	
masculino	**femenino**	**masculino**	**femenino**
este	esta	estos	estas
ese	esa	esos	esas
aquel	aquella	aquellos	aquellas

PRONOMBRES DEMOSTRATIVOS (NEUTROS)		
esto	eso	aquello

aquellos zapatos · estos zapatos · esos zapatos

10 Subraya el demostrativo adecuado.

1 ¿Te gustan *estos* / <u>*estas*</u> gafas de sol?
2 ¿Cuánto cuesta *este* / *esto* anillo?
3 ¿De quién es *esta* / *esto*?
4 ¿De quién es *esta* / *este* cartera?
5 Luis, trae *aquel* / *aquello* bolso.
6 ¿Qué es *aquellos* / *aquello*?
7 Dame *esa* / *ese* caja de ahí.
8 *Eso* / *Esos* no me gusta.

Escuchar

1 🔊90 María y Jordi nos cuentan cómo es su ciudad favorita. Escucha y completa los textos.

A María le gusta vivir en una ciudad (1) _____ porque tiene (2) _____ oferta cultural y de ocio. Sin embargo, no le gusta el ruido ni la (3) _____. Piensa que, para tener una ciudad más limpia, lo mejor es usar transporte (4) _____.

Jordi prefiere vivir en una ciudad pequeña porque tiene más (5) _____ y sus hijos viven más en contacto con la (6) _____. Seguro que cambia de ciudad en el (7) _____ si sus hijos van a la (8) _____.

Hablar

2 Habla con tu compañero sobre cómo es la ciudad que te gusta.

> moderna • antigua • tranquila • ruidosa
> grande • pequeña • bien comunicada
> turística • limpia • segura

> parques • espectáculos • transporte público
> playa • contaminación • museos
> bibliotecas • vida nocturna

■ A mí me gustan las ciudades turísticas porque siempre hay mucha gente y tienen muchos lugares interesantes y mucha vida nocturna.
● Pues yo prefiero las ciudades tranquilas...

■ En España a mí me gusta Barcelona, por ejemplo...
● Pues a mí me gusta más una ciudad como Santander.

Escribir

3 Escribe un texto de unas 100 palabras sobre cómo es tu ciudad favorita. Utiliza todo el vocabulario que ya conoces.

Leer

4 Antes de leer el texto de la página siguiente contesta a las preguntas.

1 ¿Conoces algún cuadro o pintor español o hispanoamericano?
2 ¿Conoces algún museo famoso en España o en algún país hispanoamericano?

5 Mira los cuadros de la página siguiente y relaciona los títulos con sus autores.

1 Guernica
2 La Pradera de San Isidro
3 La jungla
4 Muchacha de espaldas
5 Murales de la Alameda

a Wifredo Lam (1902-1982)
b Pablo Picasso (1881-1973)
c Diego Rivera (1886-1957)
d Salvador Dalí (1904-1989)
e Francisco de Goya (1746-1828)

Breve historia del
Guernica
de **Picasso**

En 1937, en plena Guerra Civil española, el gobierno de la República española encargó a Pablo Picasso un cuadro para exponerlo en el pabellón de España de la Exposición Universal de París. En esos días se produjo un ataque de la aviación nazi contra Guernica, un pueblo de Euskadi, en el norte de España. El pueblo quedó prácticamente destruido y hubo muchos muertos.

Picasso pintó su cuadro para reflejar el dolor y el sufrimiento de la gente en la guerra. Durante la II Guerra Mundial el *Guernica* fue trasladado al Museo de Arte Moderno de Nueva York (MOMA).

En 1981, ya con un gobierno democrático, el cuadro llegó a España, como era el deseo de Picasso.

Actualmente se expone en el Museo Nacional de Arte Contemporáneo Reina Sofía, de la capital española, y cada año lo ven millones de personas.

6 Lee el texto.

7 ¿Verdadero (V) o falso (F)?

1 El gobierno español encargó un cuadro a Picasso. ☑ V

2 En París se celebró una Exposición Universal. ☐

3 En París hubo un bombardeo. ☐

4 Picasso pintó el cuadro en Guernica. ☐

5 El cuadro estuvo en Nueva York más de treinta años. ☐

6 Picasso quería que el cuadro estuviera en Nueva York. ☐

7 Ahora el cuadro está en Madrid. ☐

8 Comenta con tus compañeros.

• ¿Te gusta la pintura?
• ¿Qué cuadro te gusta más?
• ¿Cuál te gusta menos?
• ¿Vas a museos con frecuencia?

1 Completa las descripciones con los adjetivos del recuadro.

> negro • negros • ~~marrones~~
> blanca • marrón

Rafael viene hoy muy elegante. Lleva unos pantalones (1) _marrones_, una camisa (2) _____ y una corbata a rayas. La chaqueta es (3) _____, del mismo color que los pantalones. Los zapatos son (4) _____ y lleva un sombrero también (5) _____.

> moderno • negras • negros
> azul • roja • negra

Marina viene hoy a clase con ropa deportiva. Lleva unos pantalones de color (6) _____, una camiseta (7) _____ con un estampado muy (8) _____, unos calcetines (9) _____, unas zapatillas deportivas (10) _____ y, en el pelo, una cinta también (11) _____.

2 Relaciona.

1 Buenos días, ¿puedo ayudarle? `f`
2 ¿Puedo probarme estos pantalones? ☐
3 ¿Cómo paga, con tarjeta o en efectivo? ☐
4 Álvaro, ¿te gustan estos zapatos? ☐
5 ¿No tiene otro más barato? ☐
6 ¿Cómo le queda la falda? ☐

a Bien, me la llevo.
b No mucho, me gustan más aquellos.
c Sí, claro, allí están los probadores.
d Con tarjeta.
e Sí, este solo cuesta treinta euros.
f Sí, ¿cuánto cuestan estas gafas?

3 Completa con los pronombres *lo, la, los, las.*

Julia: ¿Qué llevas en esa bolsa?
Cristina: Los regalos de Navidad.
Julia: ¿Puedo (1) ver_los_?
Cristina: Bueno: estos paquetes son para los abuelos.
Julia: ¿Y esas cajas blancas?
Cristina: Son para mamá y papá.
Julia: ¿Puedo (2) abrir_____?
Cristina: No, es una sorpresa.
Julia: ¿Y ese coche rojo? ¿Es para Raúl?
Cristina: Sí, tengo que (3) envolver_____ primero. ¿Tienes papel de regalo?
Julia: Sí, (4) _____ tengo en el primer cajón de la mesa. ¿Para quién es esta raqueta? ¿Para mí?
Cristina: No, es para Raúl, (5) _____ voy a envolver también.
Julia: ¿Y para mí?
Cristina: Es este paquete, ¿(6) _____ quieres ver ahora? ¿No prefieres esperar?
Julia: No, ahora, (7) ábre_____, por favor.
Cristina: No, mejor ábre_____ tú.
Julia: ¡Un cinturón negro! Me encanta. ¿Puedo (8) ponérme_____ hoy?

4 Selecciona la opción correcta.

1 ■ ¿Qué es _esto_ / *este*?
  ● Es un cuaderno, ¿te gusta?
2 ■ ¿Quién es *eso* / *ese* chico?
  ● Es mi hermano **mayor** / **más grande**.
3 ■ ¡Mira! Están robando una moto del garaje.
  ● ¿Cuál?
  ■ *Esta* / *Aquella* moto del fondo, la azul.
4 ■ ¿Cuánto valen *estas* / *aquellas* bolsas de caramelos, las de allí?
  ● Tres euros, pero *estas* / *esas* otras de aquí son *más* / *menos* baratas, valen dos euros.

5 Escribe el adjetivo contrario.

1 antiguo _____   3 tranquilo _____   5 barato _____
2 sucio _____   4 claro _____   6 largo _____

¿Qué sabes?

· Ir de compras.
· Describir la ropa.
· Concordancia de nombres y adjetivos de color.
· Hacer comparaciones.
· Algunas obras de pintores hispanos.

Salud y enfermedad

10

Vocabulario

1 ¿Vas mucho al médico? ¿Cuándo? ¿En verano, en invierno, en primavera...?

2 🔘91 Mira la imagen, escucha y repite.

rodilla   pie

pierna

espalda

pecho

hombro   oreja

brazo   cuello   cara

mano   dedo

3 🔘92 Escucha, fíjate en las fotos y relaciona cada personaje con su problema de salud.

1 A Pedro		a los oídos
2 A Daniel		b el estómago
3 A Carmen	le duele	c la espalda
4 A Julia	le duelen	d la cabeza
5 A Victoria	tiene	e la garganta
6 Ana		f las muelas
7 A Ricardo		g fiebre

Ana

Julia

Victoria

Pedro

Daniel

Ricardo

Carmen

Leer

4  Escucha y luego lee los siguientes diálogos.

Sara: ¡Hola, Ángel!, ¿qué tal estás?
Ángel: No muy bien.
Sara: ¿Qué te pasa?
Ángel: Tengo una gripe muy fuerte.
Sara: ¿Y qué tomas cuando estás así?
Ángel: De momento, nada.
Sara: ¿Por qué no te tomas una aspirina con un vaso de leche con miel y te vas a la cama?
Ángel: Sí, creo que es lo mejor.

Raúl: ¡Qué mala cara tienes! ¿Qué te pasa?
Luisa: Me duele muchísimo el estómago.
Raúl: ¿Por qué no vas al médico?
Luisa: Sí, voy a ir mañana.
Raúl: Mira, tómate un té y acuéstate sin cenar.
Luisa: Sí, creo que es lo mejor.

5 Ahora contesta a las preguntas.

1 ¿Qué le pasa a Ángel?
2 ¿Qué le aconseja Sara?
3 ¿Qué le pasa a Luisa?
4 ¿Qué le aconseja Raúl?

Gramática

VERBO *DOLER*		
(a mí)	me	
(a ti)	te	
(a él / ella / Ud.)	le	**duele** la cabeza
(a nosotros/as)	nos	**duelen** los oídos
(a vosotros/as)	os	
(a ellos / ellas / Uds.)	les	

6 Completa con el pronombre y la forma adecuada del verbo *doler*.

1 A mi hermano *le duelen* las piernas.
2 A mí _____ las muelas.
3 Carmen y Chus son peluqueras y _____ la espalda.
4 ¿A ti _____ algo?
5 ¡No hagáis tanto ruido! Al abuelo y a mí _____ la cabeza.
6 ¿A usted no _____ el estómago con esa comida tan fuerte?

7 Relaciona estos problemas de salud con su remedio.

1 dolor de cabeza   a tomar una aspirina
2 dolor de garganta   b ir al masajista
3 dolor de espalda   c ir al médico
4 dolor de muelas   d ir al dentista
5 fiebre   e tomar miel con limón
6 dolor de oídos   f acostarse y descansar

Escuchar

8  Escucha y completa las siguientes conversaciones.

- El paciente n.º 1 tiene *la gripe*.
  Consejo del médico: tomar _____ y _____.

- Al paciente n.º 2 le duele _____.
  Consejo del médico: tomar _____ y _____.

- Al paciente n.º 3 le duele _____.
  Consejo del médico: no tomar _____ ni _____, comer _____ y _____, y tomar _____.

Hablar

9 En parejas, practica diálogos como en el ejemplo, dando consejos para los problemas de salud de tu compañero (mira la actividad 7).

- ¿Qué te pasa?
- *Me duele la cabeza.*
- ¿Por qué no tomas una aspirina?

Antes…

Ahora…

Gramática

1 «Antes la gente era más feliz que ahora».
¿Estás de acuerdo?

*No estoy de acuerdo porque antes no había
televisión.*

2 🔊95 Escucha y después lee el siguiente
texto.

Elena y Emilio ya son padres. Su vida cambió
cuando, de repente, se encontraron con… dos
bebés en los brazos.

Elena: Antes de ser padres teníamos una
vida social muy activa: viajábamos, íbamos al
cine, salíamos con los amigos, teníamos mucho tiempo libre. Emilio jugaba al *hockey*, yo
estudiaba alemán…

Emilio: Ahora todo es distinto. Dedicamos
todo nuestro tiempo a Álvaro y Adrián, que
son maravillosos.

3 ¿Verdadero (V) o falso (F)?

1 Elena y Emilio tienen un bebé. ☐
2 Antes viajaban mucho. ☐
3 Emilio no practicaba deportes. ☐
4 Emilio estudiaba idiomas. ☐
5 Ahora están muy ocupados con sus hijos. ☐

PRETÉRITO IMPERFECTO
Verbos regulares

	viajar	tener	salir
yo	via**jaba**	ten**ía**	sal**ía**
tú	via**jabas**	ten**ías**	sal**ías**
él / ella / Ud.	via**jaba**	ten**ía**	sal**ía**
nosotros/as	via**jábamos**	ten**íamos**	sal**íamos**
vosotros/as	via**jabais**	ten**íais**	sal**íais**
ellos / ellas / Uds.	via**jaban**	ten**ían**	sal**ían**

4 Elige la forma correcta del verbo.

1 Antes Elena y Emilio no **tenían** / **tienen** hijos.
2 Cuando no tenían hijos, Elena y Emilio **viajan** /
viajaban por todo el mundo.
3 Ahora Elena no **estudiaba** / **estudia** alemán.
4 Emilio ya no **juega** / **jugaba** al *hockey*.
5 Antes de ser padres, **salían** / **salen** los fines de
semana con sus amigos.
6 Antes les **gustan** / **gustaba** mucho el cine.

PRETÉRITO IMPERFECTO
Verbos irregulares

	ir	ser	ver
yo	iba	era	veía
tú	ibas	eras	veías
él / ella / Ud.	iba	era	veía
nosotros/as	íbamos	éramos	veíamos
vosotros/as	ibais	erais	veíais
ellos / ellas / Uds.	iban	eran	veían

5 Completa el siguiente texto sobre la vida de Emilio.

Yo antes (1) _era_ jugador de un equipo de *hockey*.
(2) _____ (entrenar) tres días a la semana.
Los domingos mis compañeros y yo (3) _____
(jugar) un partido de liga. Cada dos semanas nos
(4) _____ (ir) en autocar al campo del equipo
contrario. A veces, Elena me (5) _____ (acompañar) y
después de los partidos (6) _____ (ir) a cenar
todos juntos. Todo (7) _____ (ser) estupendo.
Pero ahora es más divertido porque somos cuatro.

Hablar

6 ¿Cómo era tu vida cuando tenías diez o doce años? En parejas, pregunta y responde a tu compañero.

1 ¿Cómo era tu colegio?
2 ¿A qué hora entrabas y a qué hora salías?
3 ¿Qué hacías cuando salías del colegio?
4 ¿Comías en el colegio o en tu casa?
5 ¿Qué hacías los domingos por la mañana?,
  ¿y por la tarde?
6 ¿Cómo era tu profesor o profesora favorito/a?
7 ¿Qué hacías durante las vacaciones de verano?
8 ¿Cómo se llamaba tu mejor amigo/a?
9 ¿Qué deporte practicabas?
10 ¿Cuál era tu asignatura favorita? ¿Por qué?

Escuchar

8 🔊 96 Escucha la historia de Martina y elige la respuesta correcta.

1 Martina tiene:
  a casi cien años.
  b menos de ochenta años.
2 Cuando era pequeña, vivía:
  a con sus padres.
  b con sus hermanos y su madre.
3 Trabajaba en el campo:
  a cuando era una niña.
  b después de terminar sus estudios.
4 Trabajaba:
  a ocho horas diarias.
  b doce horas diarias.
5 A los diecinueve años tenía:
  a dos hijos.
  b un hijo.
6 Los sábados y domingos:
  a compraba en el mercadillo.
  b trabajaba en el mercadillo.

7 ¡A Federico le tocó la lotería! Comenta con tu compañero cómo era su vida antes de ser millonario. Utiliza los verbos del recuadro.

tener • desayunar • regalar • navegar • comer • ~~vivir~~

Antes no vivía en un chalé.

Leer

1 Lee este correo y completa las frases.

```
Voy a trabajar en un hotel
Enviar  Chat  Adjuntar  Dirección  Tipo de letra  Colores  Borrador

Para:    fernando@mail.com
Cc:
Asunto:  Voy a trabajar en un hotel
Cuenta:  Santiago <santiago@yahoo.es>
```

¡Hola, Fernando!

¡Por fin terminó el curso! Tengo muchos planes para este verano: en julio voy a trabajar en un hotel en Cádiz durante un mes, porque quiero ahorrar dinero para viajar por Europa. Quiero ir a Londres con María, vamos a estudiar un poco de inglés. A la vuelta, vamos a visitar París con mi hermano, que está allí estudiando francés. Como ves, tengo un verano muy ocupado. Y tú, ¿qué vas a hacer? Cuéntame.
Un abrazo,
Santiago

1 Santiago _____ muchos planes para este verano.
2 En julio _____ a trabajar en un hotel.
3 Después _____ por Europa.
4 Santiago y María _____ a ir a Londres.
5 Después de Londres _____ visitar París.

2 Relaciona los planes de Santiago con las siguientes situaciones, como en el ejemplo.

1 Santiago va a trabajar en un hotel.   ☑ c
2 Va a viajar por Europa.   ☐
3 Él y María van a ir a Londres.   ☐
4 Van a visitar París.   ☐
5 Su hermano está en París.   ☐

a Quiere aprender francés.
b Quieren mejorar su inglés.
c Quiere ahorrar dinero.
d Tiene un mes de vacaciones.
e Quiere estar unos días con su hermano.

Santiago va a trabajar en un hotel porque quiere ahorrar dinero.

3 ¿Qué van a hacer? Fíjate en las fotos y utiliza los verbos del recuadro.

ver una obra de teatro • comprar un coche besarse • tener un hijo • casarse • ~~bañarse~~

1 *Van a bañarse.*

2

3

4

5

6

Hablar

4 En parejas, di lo que vas a hacer este fin de semana. Utiliza las siguientes ideas:

levantarme tarde hacer deporte **reunirme con amigos** **ir a pasear**

limpiar la casa **salir a cenar** **leer el periódico** ver la televisión

5 ¿Qué va a hacer Federico con el dinero que ganó en la lotería? Relaciona las preguntas con las respuestas.

1 ¡Felicidades, Federico! ¿Cómo te sientes? ☐
2 ¿Vas a organizar una fiesta? ☐
3 ¿Qué es lo primero que te vas a comprar? ☐
4 ¿Te vas a comprar un barco? ☐
5 ¿Te vas a ir de vacaciones? ☐
6 ¿Qué le vas a regalar a tu mujer? ☐

    a No, no sé navegar.
    b Sí, voy a dar una vuelta alrededor del mundo.
    c Muchas joyas.
    d ¡De maravilla! ¡Como nunca!
    e Sí, con todos mis amigos.
    f Una casa muy grande en el campo.

Escribir

6 Imagina que eres periodista. Escribe una pequeña noticia sobre los planes de Federico.

Federico tiene grandes planes para el futuro.
Dice que va a...
Dice que no va a...

Pronunciación y ortografía

1 🔊97 Escucha las siguientes palabras y escríbelas en el lugar correspondiente según el acento.

alemán café **teléfono** cantante
árbol **canción** examen **estudiar**
ordenador **ventana** periódico
móvil pintura **música**

ESDRÚJULAS
te**lé**fono

LLANAS
can**tan**te

AGUDAS
ale**mán**

Reglas de acentuación

a Las palabras agudas llevan tilde cuando terminan en vocal, *n* o *s*.
b Las palabras llanas llevan tilde cuando terminan en consonante diferente de *n* o *s*.
c Las palabras esdrújulas llevan tilde siempre.

2 🔊98 Escucha y escribe las tildes que faltan.

1 Andres me llamo por telefono para saludarme.
2 Barbara trabaja en una empresa de informatica en Mexico.
3 Yo estudie decoracion en Milan.
4 Antes Raul vivia cerca de aqui, pero ahora esta viviendo en Valencia.
5 Aqui hace mas calor que alli.
6 Ella es mas guapa que el.
7 Los telefonos moviles son muy comodos.
8 Esta casa es mas centrica que tu piso.

Leer

1 Lee el texto y relaciona los títulos 1-6 con los párrafos A-F.

1	El imperio inca.	A
2	Constructores de carreteras.	☐
3	Casas sencillas.	☐
4	Un pueblo religioso.	☐
5	Campesinos y artesanos.	☐
6	La ciudad imperial.	☐

A En el siglo xv, los incas, antes de la llegada de los españoles a Perú, vivían en la montaña, en el corazón de los Andes. Hablaban una lengua llamada quechua y tenían un gran imperio.

B Cuzco, la capital del imperio, se levantaba a 3200 m de altitud. Estaba rodeada de montañas y protegida por una fortaleza. Para los incas, Cuzco era el centro del mundo.

C Los incas creían en dioses como el Sol, la Luna y el Trueno. Pero también adoraban montañas, lagos o plantas.

D Las casas eran de piedra, con tejados de hierba seca y una sola habitación. Dentro, los incas comían en cuclillas. Por la noche dormían envueltos en mantas.

E Los incas construyeron una importante red de caminos empedrados. En las laderas abruptas tallaban escalones en la roca. Y para cruzar los precipicios, hacían puentes colgantes con cuerdas vegetales.

F Se calcula que en el imperio vivían ocho millones de personas. Los campesinos cultivaban la tierra y cuidaban rebaños de llamas. Los artesanos fabricaban objetos de cerámica y tejidos.

2 Corrige las siguientes afirmaciones.

1 Los incas hablaban español.
Los incas hablaban quechua.
2 Los campesinos vivían del comercio.
3 Los incas adoraban a un solo dios.
4 Vivían en grandes casas de madera.
5 En la época de los incas, no había vías de comunicación.
6 Cuzco está al nivel del mar.

Escribir

3 Lee el blog de Carlos sobre su viaje a los Pirineos. ¿Qué expresan los verbos en azul? ¿Y los verbos en verde?

Viernes, 1 de julio
La semana que viene me voy a ir de vacaciones con tres amigos. Vamos a estar en un *camping* en los Pirineos. Me voy a llevar mi ordenador portátil para continuar con mi blog.

Viernes, 8 de julio
Ayer montamos la tienda de campaña junto a un río. Hacía mucho calor y nos dimos un baño. Voy a hacer muchas fotos porque las vistas de las montañas son espectaculares. Mañana vamos a navegar en canoa por el río.

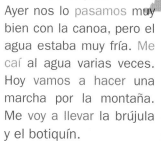

Sábado, 9 de julio
Ayer nos lo pasamos muy bien con la canoa, pero el agua estaba muy fría. Me caí al agua varias veces. Hoy vamos a hacer una marcha por la montaña. Me voy a llevar la brújula y el botiquín.

4 Escribe un blog sobre un viaje. No olvides utilizar los tiempos apropiados.

- Piensa en los detalles del viaje: ¿dónde?, ¿cuándo?, ¿con quién?, ¿qué vas a llevar?...
- Describe el tiempo y el lugar.
- ¿Qué actividades vas a hacer?
- ¿Qué hiciste el primer día?
- ¿Cómo fueron las actividades del segundo día?

Escuchar

5  Escucha la entrevista con la alpinista Elisa Urrutia y contesta a las preguntas.

1 ¿Va a hacer Elisa alguna escalada la próxima temporada?
2 ¿Por qué Elisa necesita un poco de descanso?
3 ¿Qué trabajo va a realizar en el centro de alpinismo?
4 ¿Qué acontecimiento importante sucedió en su vida el año pasado?
5 ¿Qué acontecimiento importante va a suceder en su vida el otoño próximo?

Hablar

Alumno A (alumno B, ver «En parejas»)

6 Imagina que te toca la lotería. Prepara respuestas para la entrevista que te hará B.

a ¿Con quién lo vas a celebrar?
b ¿Qué vas a comprar?
c ¿Dónde vas a ir de vacaciones?
d ¿Con quién vas a ir?
e ¿Qué vas a hacer a la vuelta del viaje?

7 Prepara preguntas para entrevistar a B, que se va a ir a estudiar a otro país. Puedes añadir otras preguntas.

a A qué país / ir   d Con quién / vivir
b Qué / estudiar   e En qué / trabajar
c Dónde / alojar

1 Relaciona.

1 Estos zapatos son nuevos, por eso   `c`
2 Juan lleva dos pendientes   ☐
3 Los futbolistas cuidan especialmente   ☐
4 Uso guantes   ☐
5 Ana lleva varios anillos   ☐
6 Cuando cojo mucho peso,   ☐

   a me duelen los brazos.
   b sus piernas.
   c me duelen los pies.
   d porque tengo frío en las manos.
   e en cada oreja.
   f en los dedos.

2 Completa el texto con el pretérito imperfecto de los verbos entre paréntesis.

Marisa y Alfredo se casaron la semana pasada. Ahora viven juntos en Madrid, pero antes de conocerse, cuando ellos (1) *eran* (ser) jóvenes, los dos (2) _____ (vivir) en distintas ciudades. Marisa (3) _____ (trabajar) con un grupo de teatro infantil y (4) _____ (estudiar) en la universidad. Alfredo (5) _____ (hacer) películas con un grupo de aficionados y (6) _____ (escribir) magníficos guiones. Un día, cuando los dos (7) _____ (ir) a un festival de cine, se conocieron y, desde entonces, ya no se separan nunca.

3 Subraya el verbo más adecuado.

1 Ayer *fui / iba* a ver a Jacinto.
2 Cuando Luis *tenía / tuvo* diez años, *jugaba / jugó* al fútbol todos los sábados.
3 Antes me *gustaba / gustó* la música rock, pero ahora me *gustaba / gusta* la música romántica.
4 Elena y Emilio antes no *tuvieron / tenían* hijos y ahora tienen dos.
5 Elena y Emilio *iban / fueron* a París en el año 2002.
6 Mi marido *jugó / jugaba* al baloncesto cuando *era / fue* joven.
7 Yo no fumo, pero antes *fumé / fumaba* mucho.
8 Mi hermana de pequeña *era / fue* rubia.
9 ¿*Viste / Veías* a Sara el sábado pasado?
10 Ayer me *acostaba / acosté* muy tarde.

4 Escribe las preguntas sobre planes para el próximo fin de semana.

1 ¿Tú / estudiar?
  ¿Vas a estudiar?
2 ¿Vosotros / ir al cine?
3 ¿Lorenzo / escuchar música?
4 ¿Tu novio / comprar ropa?
5 ¿Tú / navegar por internet?
6 ¿Vosotros / hacer los ejercicios de español?
7 ¿Ellos / ir al fútbol?
8 ¿Tus padres / ir a la ópera?
9 ¿Tú / viajar en barco?
10 ¿Nosotros / quedar con Alba?

5 🎧100 Escucha al grupo de música Los Escorpiones hablando con su mánager y contesta a las preguntas.

1 ¿Cuándo va a estar el nuevo disco de Los Escorpiones en el mercado?
2 ¿Cuándo van a empezar la gira?
3 ¿Van a hacer su propia página web?
4 ¿Qué van a hacer en septiembre?
5 ¿Quién va a cantar con ellos en el concierto?

¿Qué sabes?

   ☺   😐   ☹

· Las partes del cuerpo.   ☐ ☐ ☐
· Hablar de enfermedades (verbo *doler*).   ☐ ☐ ☐
· Hablar de hábitos en el pasado.   ☐ ☐ ☐
· Expresar planes e intenciones (*ir a* + infinitivo).   ☐ ☐ ☐
· Las reglas de acentuación.   ☐ ☐ ☐

ANEXOS

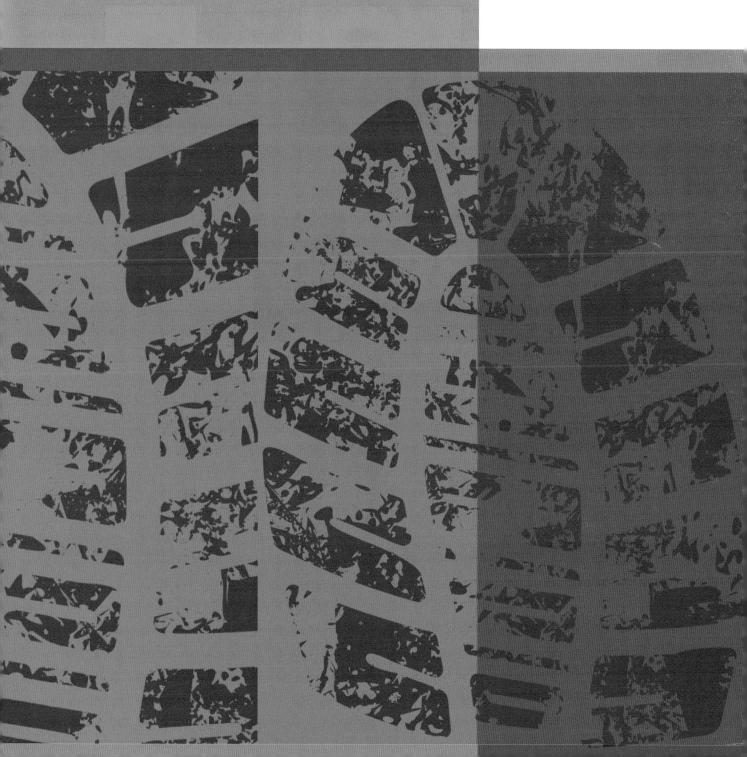

- • En parejas
- • Gramática, vocabulario y ejercicios prácticos
- • Verbos
- • Transcripciones

Unidad 1

Hablar

Alumno B (viene de página 23)

5 Responde a A la información sobre los números 1, 3, 5 y 7.

El número 1 se llama Isabel Allende. Es chilena. Es escritora.

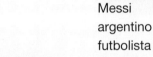

Isabel Allende
chilena
escritora

_____
_____
_____

Messi
argentino
futbolista

_____
_____
_____

Carolina Herrera
venezolana
diseñadora

_____
_____
_____

Shakira
colombiana
cantante

_____
_____
_____

6 ¿Conoces a estos personajes famosos? Pregunta a A la información sobre los números 2, 4, 6 y 8.

¿Cómo se llama el número 2? ¿De dónde es? ¿A qué se dedica?

Unidad 2

Hablar

Alumno B (viene de página 33)

7   Responde a A dónde están sus objetos.

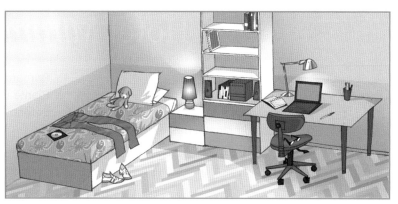

Las gafas están encima de la silla.

8   Pregunta a A dónde están los objetos del recuadro.

¿Dónde está el móvil?

Unidad 3

Hablar

Alumno B (viene de página 43)

7   Responde a las preguntas de A.

8   Pregunta a A y completa la siguiente ficha.

NOMBRE:	Antonio García
EDAD:	42 años
TRABAJO:	Cocinero
PAÍS	España
CIUDAD:	Sevilla
LUGAR DE TRABAJO:	Restaurante
TRANSPORTE:	Coche
FAMILIA:	Casado. Tiene dos hijos.

NOMBRE:	_____
EDAD:	_____
TRABAJO:	_____
PAÍS:	_____
CIUDAD:	_____
LUGAR DE TRABAJO:	_____
TRANSPORTE:	_____
FAMILIA:	_____

En parejas

Unidad 4

Hablar

Alumno B (viene de página 53)

8 Responde a las preguntas de A.

Hotel *Miramar*

Quinta planta: _____
Cuarta planta: Peluquería
Tercera planta: _____
Segunda planta: Restaurante

Primera planta: _____
Planta Baja: Recepción
Sótano: Garaje

Precios
Habitación individual: 100 €
Habitación doble: _____

Comidas
Desayunos: de 7.30 a 10.30 h
Comidas: de 13 a 15 h
Cenas: _____

9 Pregunta a A la información que falta en el anuncio del Hotel Miramar.

1 ¿En qué planta están: *la cafetería, la sauna y el gimnasio, el salón de conferencias?*
2 Pregunta el precio de la habitación doble: *¿Cuánto cuesta...?*
3 Pregunta el horario de la cena: *¿A qué hora se puede cenar?*

Unidad 5

Hablar

Alumno B (viene de página 63)

4 Responde a A las preguntas sobre tus gustos.

Sí, mucho. / Sí, bastante. / No, no mucho. / No, nada.

5 Pregunta a A sobre sus gustos.

¿Te gusta viajar?
¿Te gustan los perros?

	MUCHO	BASTANTE	NO MUCHO	NADA
viajar				
los perros				
las motos				
navegar en internet				
jugar al fútbol				
andar				
hablar				
los niños				
leer				

Unidad 8

Hablar

Alumno B (viene de página 93)

9 Tú y tu compañero os encontráis en la esquina de la calle Argentina con la calle Ecuador. Escucha a A y dile cómo se va a los lugares que te pregunta.

10 Tú y tu compañero os encontráis en la esquina de la calle Argentina con la calle Ecuador. Pregunta a A cómo se va a los siguientes lugares:

- la panadería
- el banco
- la cafetería
- el cine
- la farmacia

- ¿Puedes decirme cómo se va a la panadería?
- Ve por la calle Argentina y toma la primera a la derecha, la calle Mayor. Sigue recto y, después de cruzar la calle Colombia, a la derecha, junto al bar José, está la panadería.

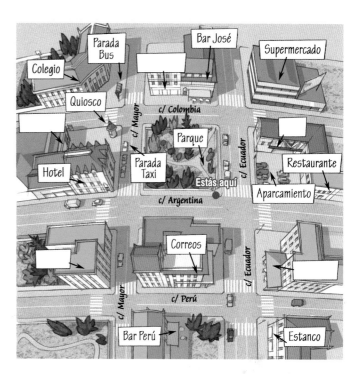

Unidad 10

Hablar

Alumno B (viene de página 113)

6 Prepara preguntas para entrevistar a A, que le ha tocado la lotería. Puedes añadir otras preguntas.

a Con quién / celebrar
b Qué / comprar
c Dónde / ir de vacaciones
d Con quién / ir
e Qué / hacer a la vuelta del viaje

7 Imagina que te vas a estudiar a un país extranjero. Prepara las respuestas para la entrevista que te hará A.

a ¿A qué país vas a ir?
b ¿Qué vas a estudiar?
c ¿Dónde te vas a alojar?
d ¿Con quién vas a vivir?
e ¿En qué vas a trabajar?

GRAMÁTICA

VERBOS *SER* Y *TENER*. PRESENTE

	ser	tener
yo	soy	tengo
tú	eres	tienes
él / ella / Ud.	es	tiene
nosotros/as	somos	tenemos
vosotros/as	sois	tenéis
ellos / ellas / Uds.	son	tienen

→ Usamos el verbo *ser* para identificarnos, hablar de la nacionalidad y de la profesión.

*Esta **es** Pilar. Pilar **es** española. Pilar **es** azafata.*

GÉNERO DE LOS NOMBRES

→ Los nombres de las cosas tienen género masculino o femenino:

el libro   la ventana

→ Los nombres de las personas y animales tienen género masculino y femenino.

el gato   la gata
el profesor   la profesora
el hombre   la mujer

→ En el caso de los nombres de profesión:

a Si el masculino termina en -o, cambia por -a:
  el abogado   la abogada

b Si el masculino termina en consonante, añade -a:
  pintor   pintora

c Si el masculino termina en -e, puede quedar igual o cambiar por -a.
  el estudiante   la estudiante
  el presidente   la presidenta

d Si el masculino termina en -ista, no cambia.
  el taxista   la taxista

GÉNERO DE LOS ADJETIVOS

→ Los adjetivos tienen el mismo género que el nombre al que se refieren.

*El profesor es **simpático**. La profesora es **simpática**.*

→ En el caso de los adjetivos de nacionalidad:

a Si el masculino termina en -o, el femenino termina en -a.
  brasileño   brasileña

b Si el masculino termina en consonante, el femenino añade -a.
  alemán   alemana

c Si el masculino termina en -a, -e, -í, no cambia.
  belga / belga   cretense / cretense   iraní / iraní

VERBOS REGULARES. PRESENTE

Tenemos tres conjugaciones (1.ª, 2.ª, 3.ª), según la terminación del infinitivo: -ar, -er, -ir.

trabajar	comer	vivir
trabajo	como	vivo
trabajas	comes	vives
trabaja	come	vive
trabajamos	comemos	vivimos
trabajáis	coméis	vivís
trabajan	comen	viven

PRONOMBRES PERSONALES SUJETO

→ Tenemos 12 pronombres personales sujeto:

yo • tú • él • ella • usted (Ud.) • nosotros • nosotras
vosotros • vosotras • ellos • ellas • ustedes (Uds.)

→ Estos pronombres no se utilizan siempre, solo cuando queremos distinguir bien entre diferentes sujetos.

TÚ / USTED, VOSOTROS / USTEDES

→ Usamos *tú* y *vosotros* cuando hablamos con conocidos, amigos y personas de igual o inferior rango.
→ Usamos *usted* y *ustedes* cuando hablamos con desconocidos, personas mayores y de mayor rango.
→ En América Latina se usa *ustedes* en lugar de *vosotros* y, en algunos países, *vos* en lugar de *tú*.

VOCABULARIO

GENTILICIOS

alemán/a • andaluz/a • brasileño/a • catalán/a
estadounidense • francés/a
inglés/a • japonés/a • marroquí • mexicano/a

PROFESIONES

ciclista • actriz • camarero/a • cantante
cartero/a • escritor/a • estudiante • futbolista
médico/a • policía • peluquero/a • profesor/a
secretario/a • taxista • torero/a

NÚMEROS

0 cero 1 uno 2 dos 3 tres 4 cuatro 5 cinco 6 seis
7 siete 8 ocho 9 nueve 10 diez 11 once 12 doce
13 trece 14 catorce 15 quince 16 dieciséis
17 diecisiete 18 dieciocho 19 diecinueve 20 veinte

Ejercicios prácticos

EL VERBO *SER*. PRESENTE

1 Completa con el verbo *ser*.

1 ¿De dónde _____? (tú)
2 Lisandro _____ de Colombia.
3 Nosotros _____ estudiantes.
4 Carla y Lola _____ abogadas.
5 Yo no _____ español.
6 Mi hija _____ periodista.
7 ¿_____ alemanas? (vosotras)
8 ¿_____ profesor? (tú)
9 ¿De dónde _____ usted?
10 ¿_____ brasileña? (tú)
11 Mis padres_____ mexicanos.
12 María y yo_____ profesoras.

2 Escribe el pronombre adecuado.

1 <u>Él</u> es francés.
2 _____ somos mexicanas.
3 _____ somos peruanos.
4 ¿_____ sois españoles?
5 ¿_____ eres de Sevilla?
6 _____ no son profesores.
7 _____ soy peluquero.
8 _____ son actrices.
9 ¿_____ eres actor?
10 _____ no es española.

EL GÉNERO DE LOS NOMBRES

3 Clasifica en cada columna.

> ~~casa~~ • ~~hotel~~ • oficina • leona • coche
> hombre • libro • mujer • camarero
> calle • compañero • hospital
> azafata • gata • lección • hijo

MASCULINO	FEMENINO
el hotel	la casa

GÉNERO DE LOS ADJETIVOS

4 Completa la tabla con el género que falta.

1	la gata blanca	
2	la niña simpática	
3	la profesora amable	
4		el actor bueno
5	la taxista buena	
6	la turista alemana	
7	la abogada china	
8		el pianista inglés
9		el periodista estadounidense

VERBOS REGULARES. PRESENTE

5 Escribe las frases en la forma adecuada.

1 Yo / estudiar / Matemáticas
2 Nosotros / comer / en casa
3 Rosa / no / beber / agua
4 Luis y Ana / vivir / en Galicia
5 Nosotras / trabajar / mucho
6 ¿Tú / vivir / en París?
7 ¿Ud. / hablar / inglés?
8 Yo / trabajar / en un banco
9 ¿Ustedes / escribir / los datos?
10 Mi marido / no / hablar / mucho
11 ¿Tú / trabajar / aquí?
12 ¿Dónde / vivir / Ud.?
13 ¿Dónde / trabajar / Ud.?
14 ¿Dónde / trabajar / tú?
15 Yo / vivir / en Valencia

PRONOMBRES PERSONALES SUJETO

6 ¿Qué pronombre personal corresponde?

1 ¿Qué estudia Alicia? *Ella*
2 Elena y Alberto tienen dos hijos.
3 Estos chicos no estudian nada.
4 ¿A qué hora comen los españoles?
5 ¿Cuántos idiomas habla?
6 ¿Llamáis todos los días por teléfono a Óscar?
7 ¿Cómo se llama tu marido?
8 ¿Dónde viven Lola y María?

GRAMÁTICA

PLURAL DE LOS NOMBRES

→ Si el singular termina en vocal (excepto **í**), el plural se forma añadiendo una -**s**.

un libro   dos libros

→ Si el singular termina en consonante, se añade -**es**.

un hotel   dos hoteles   un lápiz   dos lápices

ADJETIVOS POSESIVOS

sujeto	Posesivos	
	singular	**plural**
yo	mi	mis
tú	tu	tus
él / ella / Ud.	su	sus
nosotros/as	nuestro/a	nuestros/as
vosotros/as	vuestro/a	vuestros/as
ellos/as / Uds.	su	sus

→ Los adjetivos posesivos concuerdan en número con el nombre al que acompañan.

*Esta es **mi** hermana y estos son **mis** padres.*

VERBO *ESTAR*. PRESENTE

Presente del verbo *estar*	
yo	estoy
tú	estás
él / ella / Ud.	está
nosotros/as	estamos
vosotros/as	estáis
ellos / ellas / Uds.	están

→ Usamos el verbo *estar* para expresar ubicación.

*Pedro **está** en casa.*

DEMOSTRATIVOS

→ Los pronombres demostrativos *esta, este, estas, estos* se refieren a algo o alguien cercano.

	singular	**plural**
masculino	este	estos
femenino	esta	estas

Esta es mi prima.
Este es mi perro Miko.
Estas son las bicicletas de mis hermanos.
Estos son mis compañeros de clase.

VOCABULARIO

MARCADORES DE LUGAR

El móvil está…

al lado del libro   debajo del libro   encima del libro

entre el libro
y la lámpara

detrás de los libros

delante de los libros

a la derecha   a la izquierda

FAMILIA

abuelo/a • padre • madre • hijo/a • primo/a
marido • mujer • hermano/a

ESTADO CIVIL

soltero/a • casado/a • divorciado/a

LA CLASE

bolígrafo • cuaderno • diccionario • lápiz • libro
mapa • mesa • silla • televisión • ventana

NÚMEROS

20 veinte	100 cien
21 veintiuno	101 ciento uno
22 veintidós	200 doscientos/as
23 veintitrés	300 trescientos/as
24 veinticuatro	400 cuatrocientos/as
25 veinticinco	500 quinientos/as
26 veintiséis	600 seiscientos/as
27 veintisiete	700 setecientos/as
28 veintiocho	800 ochocientos/as
29 veintinueve	900 novecientos/as
30 treinta	1 000 mil
31 treinta y uno	1 105 mil ciento cinco
40 cuarenta	1 500 mil quinientos
50 cincuenta	1 940 mil novecientos
60 sesenta	cuarenta
70 setenta	2 001 dos mil uno
80 ochenta	5 000 cinco mil
90 noventa	

Ejercicios prácticos

PLURAL DE LOS NOMBRES

1 Completa las frases con el plural de las palabras del recuadro.

> amiga • lápiz • profesor • hermano
> hotel • diccionario • autobús
> mapa • televisión • silla

1 En mi familia somos seis _____.
2 Tenemos cinco _____ en mi ciudad.
3 Tengo dos _____ colombianas.
4 Mis _____ son españoles.
5 Los _____ son de Laura.
6 Las _____ de la cocina están rotas.
7 En mi casa tenemos dos _____, una en el salón y otra en la cocina.
8 Los _____ de español están en la estantería.
9 Tengo dos _____ de España, uno de Madrid y otro de Barcelona.
10 ¿Cuándo llegan los _____ para la excursión?

ADJETIVOS POSESIVOS

2 Elige la palabra correcta.

En (1) mi / mis clase somos veinticinco alumnos. (2) Mi / Mis compañeros son de distintos países. (3) Yo / Mi amigo Henry es de Canadá. (4) Él / Su familia vive en Toronto. (5) Nuestra / Nosotros profesora de Español se llama Ana. Es argentina y vive con (6) él / su marido cerca de la escuela.

VERBO *ESTAR*. PRESENTE

3 Completa las frases con la forma correcta del verbo *estar*.

1 Mi familia _____ en Andalucía.
2 El gato _____ debajo del sofá.
3 ¿Dónde _____ las llaves?
4 Mis zapatillas no _____ en mi habitación.
5 Mi marido _____ en la oficina.
6 El ordenador _____ encima de la mesa.
7 Mis padres no _____ en casa.
8 ¿Cuándo _____ tú en la oficina?
9 Yo _____ en el parque con mis hijos.
10 ¿Dónde _____ nosotros ahora?

MARCADORES DE LUGAR

4 Mira el dibujo y di dónde están los siguientes objetos.

1 El ordenador *está encima de* la mesa.
2 La lámpara _____ del ordenador.
3 El móvil _____ la lámpara y el ordenador.
4 Las zapatillas _____ la cama.
5 La ventana _____ la mesa.
6 La silla _____ la mesa.

DEMOSTRATIVOS

5 Elige la palabra correcta.

1 *Este / Estos* es mi hermano Luis.
2 *Este / Esta* es el mapa de España.
3 *Este / Esta* ordenador es de mi padre.
4 ¿*Estos / Este* libros son de Pedro?
5 *Estas / Esta* chicas son de mi clase.
6 *Estas / Esta* es mi familia.

VOCABULARIO

6 Encuentra la palabra que no pertenece al grupo.

1 diccionario • mapa • bolígrafo • coche
2 primo • madre • profesora • tío
3 abuelo • soltero • divorciado • casado
4 treinta • cuarto • cuarenta • sesenta
5 encima • debajo • sofá • al lado
6 hijo • padre • abuelo • tía
7 prima • madre • marido • novia
8 es • este • esta • estos
9 casas • autobús • mapas • mesas
10 autobús • silla • gafas • ordenador

GRAMÁTICA

VERBOS REFLEXIVOS. PRESENTE

		levantar(se)	acostar(se)
yo	me	levanto	acuesto
tú	te	levantas	acuestas
él / ella / Ud.	se	levanta	acuesta
nosotros/as	nos	levantamos	acostamos
vosotros/as	os	levantáis	acostáis
ellos / ellas / Uds.	se	levantan	acuestan

→ Los pronombres reflexivos se usan con verbos que expresan acciones que el sujeto realiza sobre sí mismo: *lavarse, ducharse, peinarse, afeitarse*, etcétera.

→ Cuando la acción del sujeto no se realiza sobre sí mismo estos verbos no llevan pronombre.

María **se lava** <u>la cara</u>.
María **lava** <u>la ropa</u>.

→ Tenemos otros verbos que se utilizan con estos pronombres, aunque no son reflexivos: *llamarse, quedarse, casarse*, etcétera.

VERBOS IRREGULARES. PRESENTE

Verbos con irregularidades vocálicas	
empezar	volver
(e>ie)	(o>ue)
emp**ie**zo	v**ue**lvo
emp**ie**zas	v**ue**lves
emp**ie**za	v**ue**lve
empezamos	volvemos
empezáis	volvéis
emp**ie**zan	v**ue**lven

Otros verbos irregulares		
ir	venir	salir
voy	vengo	salgo
vas	vienes	sales
va	viene	sale
vamos	venimos	salimos
vais	venís	salís
van	vienen	salen

PREPOSICIONES DE TIEMPO

Días		
El lunes		la mañana
Hoy	por	la tarde
El sábado		la noche

Horas			
Son A	las diez	de	la mañana
	las cinco		la tarde
	las tres		la noche
			la madrugada

*Rosa se levanta **a** las siete.*
*Carlos sale de casa **a** las ocho.*
*Yo trabajo **desde** las ocho **hasta** las tres.*
*Yo no trabajo **por** la tarde.*
*Ella termina su trabajo **a** las cinco **de** la tarde.*
*Rosa vuelve a su casa **a** las cuatro.*
*Mi jefe trabaja **de** ocho **de** la mañana **a** ocho **de** la tarde.*

VOCABULARIO

VERBOS DE ACCIONES COTIDIANAS

levantarse • acostarse • lavarse • ducharse
bañarse • peinarse • afeitarse
desayunar • comer • cenar
estudiar • trabajar • empezar • terminar

VERBOS DE MOVIMIENTO

salir • ir • venir • entrar • llegar • volver

PROFESIONES

médico/a • enfermero/a • informático/a
cocinero/a • camarero/a • secretario/a
cajero/a • profesor/a • dependiente/a
estudiante • recepcionista • azafato/a

DESAYUNOS

leche • té • mantequilla • mermelada
zumo • huevo • queso • bollos
café • bocadillo • tostada

DÍAS DE LA SEMANA

lunes • martes • miércoles • jueves
viernes • sábado • domingo

Ejercicios prácticos

VERBOS REFLEXIVOS. PRESENTE

1 Completa con el verbo entre paréntesis en presente.

1 ■ ¿A qué hora _se levantan_ tus hijos? (levantarse)
   ● El niño ____ _____ a las siete y las niñas, a las ocho, porque sus clases empiezan más tarde. (levantarse)

2 ■ ¿____ _____ por la mañana o por la noche? (ducharse, tú)
   ● Normalmente por la noche, pero los domingos siempre ____ _____ por la mañana. (ducharse, yo)

3 ■ ¿A qué hora ____ _____ los sábados? (acostarse, vosotros)
   ● ____ _____ tarde, a la una o las dos de la madrugada. (acostarse, nosotros)

4 Juan no ____ _____ todos los días. (afeitarse)

5 Nuestros vecinos ____ _____ muy temprano porque trabajan a las afueras de la ciudad. (levantarse)

6 Yo nunca ____ _____ pronto porque llego del trabajo a las nueve de la noche. Después ceno y veo un rato la tele. (acostarse)

VERBOS IRREGULARES. PRESENTE

2 Escribe el verbo.

1	empezar, él	_empieza_
2	volver, yo	
3	ir, nosotros	
4	empezar, vosotros	
5	ir, ellos	
6	volver, Ud.	
7	venir, yo	
8	salir, yo	
9	venir, ellos	
10	ir, yo	
11	volver, ellos	
12	salir, Ud.	
13	venir, Uds.	
14	empezar, tú	
15	volver, nosotros	

PREPOSICIONES

3 Completa con la preposición adecuada.

1 Yo empiezo a trabajar _a_ las ocho _de_ la mañana.
2 José no trabaja ____ la tarde.
3 Paloma trabaja ____ las ocho ____ las tres.
4 Los domingos ____ la mañana voy al Rastro.
5 Los sábados ____ la noche voy ____ la discoteca.
6 Yo salgo ____ casa ____ las ocho ____ la tarde.
7 Mi hija va ____ la escuela ____ la mañana.
8 Los días de fiesta nos levantamos ____ las diez.
9 María va al trabajo ____ coche. Sale de su casa ____ las ocho y llega ____ las ocho y media.
10 Mi marido trabaja ____ ocho ____ la mañana ____ ocho ____ la tarde.

PROFESIONES

4 Relaciona.

1 médico	a colegio
2 azafata	b hospital
3 profesor	c restaurante
4 camarero	d hotel
5 recepcionista	e aeropuerto

DESAYUNOS

5 Relaciona.

1 café	a de naranja
2 zumo	b de queso
3 pan	c con leche
4 leche	d con tomate
5 bocadillo	e con cacao

6 Completa con las palabras del recuadro.

zumo de naranja • qué desean • dos también • y tú • una tostada

■ Buenos días, ¿[1] _____?
● Yo quiero un té con leche, ¿[2] _____?
▲ Yo un zumo de naranja y [3] _____.
● Sí, yo [4] _____ quiero una tostada.
■ Muy bien, entonces un té con leche, un [5] _____ y [6] _____ tostadas.

GRAMÁTICA

ORDINALES

1.º / 1.ª primero/a	6.º / 6.ª sexto/a
2.º / 2.ª segundo/a	7.º / 7.ª séptimo/a
3.º / 3.ª tercero/a	8.º / 8.ª octavo/a
4.º / 4.ª cuarto/a	9.º / 9.ª noveno/a
5.º / 5.ª quinto/a	10.º / 10.ª décimo/a

→ Los ordinales se usan, por ejemplo, para nombrar los pisos de una casa y el número de orden en un grupo.

*Mi amigo vive en el **cuarto** piso.*
*Luis siempre llega el **primero**.*

→ Los ordinales concuerdan en género y número con el sustantivo al que acompañan.

*Mi clase está en la **segunda** <u>planta</u>.*
*Yo tengo los **primeros** <u>discos</u> de este grupo.*

→ Los ordinales **primero** y **tercero** pierden la -o delante de un nombre masculino singular.

*Estudio **tercer**(o) curso de Inglés.*
*Vivo en el **primer**(o) piso.*

ARTÍCULOS

	Determinados		Indeterminados	
	Para algo que conocemos		Para algo que mencionamos por primera vez	
	masc.	fem.	masc.	fem.
singular	el	la	un	una
plural	los	las	unos	unas

→ Los artículos determinados se usan:
- Cuando hablamos de algo que conocemos.
  *Cierra **la** <u>ventana</u>.*
- Con la hora.
  *Son **las** <u>cinco</u>.*
- Con los días de la semana.
  Los <u>viernes</u> vamos al cine.

→ Los artículos indeterminados se usan:
- Cuando mencionamos algo por primera vez.
  *Tengo **un** <u>coche nuevo</u>.*
- Con el verbo **haber**.
  ¿Dónde <u>hay</u> una silla?

HAY / ESTÁ(N)

→ Se utiliza **hay** para hablar de la existencia o no de personas, animales, lugares y objetos.

Hay vasos en la cocina.

→ Con **hay**, a los nombres nunca les pueden acompañar los artículos determinados.

*En mi pueblo no **hay** (la) universidad.*

Mamá, no hay leche.

→ Se utiliza **está(n)** para indicar un lugar.

*La leche **está** en la nevera.*
*¿Dónde **están** mis libros?*

VOCABULARIO

COSAS DE LA CASA

armario • ascensor • frigorífico / nevera
espejo • sillón • lavabo • lámpara • llave
microondas • cocina • cuarto de baño
dormitorio / habitación • salón / comedor
garaje • jardín • piscina • patio

¿DÓNDE?

derecha • izquierda • arriba • abajo

Ejercicios prácticos

ORDINALES

1 Escribe los números ordinales.

a 9.º *noveno*

b 1.º _____

c 3.ª _____

d 6.º _____

e 8.ª _____

f 10.º _____

g 4.º _____

h 2.ª _____

i 5.ª _____

j 7.ª _____

ARTÍCULOS

2 Elige el artículo correcto.

1 *La / Un* televisión está en el salón.

2 Tengo *un / las* microondas nuevo.

3 *Los / Unos* platos blancos están en el armario de *la / una* cocina.

4 *Una / La* cartera de Pablo está en *una / la* silla.

5 *Los / Unas* cojines del sofá son azules.

6 *Una / La* familia de Concha cena siempre en *la / una* cocina.

7 Este es *el / un* ordenador de mi hermano.

8 Desayuno *un / el* vaso de leche todas *unas / las* mañanas.

9 Limpio *un / el* cuarto de baño de mi casa todos *unos / los* días.

10 *Los / Unos* sábados me levanto a *las / los* nueve.

3 Completa con el artículo correcto.

1 Estudio español desde _____ doce años.

2 Empiezo _____ clases a _____ nueve de _____ mañana.

3 ■ ¿Cuándo recoges _____ cocina?
  ● Cuando termino de ver _____ televisión.

4 _____ reloj está encima de _____ mesa.

5 En _____ países árabes no trabajan _____ viernes.

6 _____ veranos en Andalucía son calurosos.

7 Mi padre está en _____ jardín con _____ hijos de Javier.

8 ¿Dónde están _____ llaves de _____ puerta?

9 En el salón hay _____ sofá, seis sillas y _____ mesa.

10 Tienen _____ casa en _____ campo con _____ jardín muy bonito.

HAY / ESTÁ(N)

4 Completa el texto con *hay / está / están*.

En mi casa (1) _____ dos dormitorios, un salón, una cocina y un baño. En el cuarto de baño (2) _____ una ducha. En el salón (3) _____ una librería, y allí (4) _____ los libros de lectura. Tenemos dos ordenadores. (5) _____ uno en mi habitación y el otro (6) _____ en el salón. También (7) _____ en el salón el equipo de música y la televisión. En los dormitorios no (8) _____ televisión. ¿Cuántas televisiones (9) _____ en tu casa? ¿Dónde (10) _____?

5 Haz preguntas para estas respuestas.

1 ¿_____?
La leche está en el frigorífico.

2 ¿_____?
No hay mucho café en la cafetera.

3 ¿_____?
Hay un vaso en la cocina.

4 ¿_____?
Mis amigos están en el cine.

5 ¿_____?
Hay tres sillas en el salón.

6 ¿_____?
Mis padres están bien, gracias.

7 ¿_____?
El microondas está encima del horno.

8 ¿_____?
Hay tres coches en el garaje.

VOCABULARIO

6 Encuentra la palabra que no pertenece al grupo.

1 cocina • salón • frigorífico • garaje

2 tercero • seis • quinto • primero

3 fregadero • horno • microondas • sillón

4 televisión • espejo • toalla • lavabo

5 librería • lavadora • televisión • lámpara

6 derecha • izquierda • norte • arriba

7 el • los • las • unos

8 una • la • un • unas

9 recepcionista • hotel • restaurante • colegio

10 los • la • unas • una

GRAMÁTICA

VERBO *GUSTAR*. PRESENTE

(a mí)	me		
(a ti)	te	**gusta**	el cine
(a él / ella / Ud.)	le		la música
			viajar
(a nosotros/as)	nos		los museos
(a vosotros/as)	os	**gustan**	los deportes
(a ellos / ellas / Uds.)	les		las plantas

➜ El verbo *gustar* se utiliza en la tercera persona del singular o del plural, dependiendo del sujeto gramatical.

> A mí **me gusta** el cine.
> A mí **me gustan** las películas de terror.

> A ti **te gusta** la música clásica.
> A ti **te gusta** bailar.
> ¿A ti **te gustan** los videojuegos?

> A él **le gusta** el chocolate.
> A ella no **le gustan** los deportes.
> ¿A usted **le gusta** el pescado?

> A nosotros **nos gusta** el fútbol.
> A nosotras **nos gustan** los pasteles.

> ¿A vosotros **os gusta** esquiar?
> ¿A vosotras **os gustan** los museos?

> A ellas **les gusta** el arte.
> A ellos **les gustan** los animales.
> ¿A ustedes **les gusta** pescar?

GUSTAR
+ Me **encanta** escuchar música.
Me gusta **mucho** cocinar.
Me gusta **bastante** leer.
No me gustan **mucho** los deportes.
No me gusta bailar.
− **No** me gusta **nada** ir de compras.

TAMBIÉN / TAMPOCO - SÍ / NO
• *Me encanta el cine.* ☺
■ *A mí **también**.* ☺
▲ *Pues a mí **no**.* ☹
• *No me gusta montar en bicicleta.* ☹
■ *A mí **tampoco**.* ☹
▲ *Pues a mí **sí**.* ☺

VERBO *QUERER*. PRESENTE

Presente del verbo *querer*	
yo	quiero
tú	quieres
él / ella / Ud.	quiere
nosotros/as	queremos
vosotros/as	queréis
ellos / ellas / Uds.	quieren

> *Mamá, **quiero** un helado.*
> *Mamá, hoy no **quiero** sopa, **quiero** pasta.*

➜ Utilizar el verbo *querer* en presente para expresar deseo normalmente no es cortés: así, para suavizar, se suele utilizar el verbo en pretérito imperfecto (*quería…*). Pero en este caso concreto, en un restaurante, sí es habitual el uso de *quiero…*

IMPERATIVO (VERBOS REGULARES)

	cortar	comer	abrir
tú	corta	come	abre
usted	corte	coma	abra

➜ El imperativo se usa para dar instrucciones, órdenes y pedir favores.

> **Corta** la lechuga en trozos pequeños.
> **Come** la sopa, por favor.
> **Abre** el libro, Peter.

VOCABULARIO

COMIDA BÁSICA

> arroz • pan • carne • ensalada
> pescado • fruta • huevos • queso
> patatas • sal • azúcar

BEBIDAS

> agua • cerveza • refresco • vino • zumo

ACTIVIDADES DE TIEMPO LIBRE

> bailar • escuchar música
> navegar en internet • ir al teatro
> ir de compras • ir a la discoteca
> montar en bicicleta • viajar
> hacer deporte • andar

Ejercicios prácticos

VERBOS *GUSTAR* Y *QUERER*

1 Elige la opción correcta.

1 A Luis *quiere / le gustan* mucho los macarrones.
2 Óscar no *quiere / le gusta* carne.
3 Marisa hoy no *quiere / le gusta* beber agua, quiere vino.
4 A nosotros *nos gusta / queremos* el gazpacho.
5 A Elena no *quiere / le gustan* nada las verduras.
6 Federico *quiere / le gustan* muchos caramelos.
7 A Rosa *le gusta / quiere* mucho leer.
8 No *queremos / gustan* más café.
9 Javier y Clara *les gusta / quieren* comer más.
10 A Javier y a Clara no *les gusta / quieren* comer mucho.

2 Construye frases con el verbo *gustar* o *encantar*.

1 Luis / helados
   A Luis le gustan mucho los helados.
   A Luis le encantan los helados.
   A Luis no le gustan los helados.
2 Marta / jugar al tenis
3 Los niños / Matemáticas
4 Elvira / montar en bici
5 Juanjo / películas de ciencia-ficción
6 Nosotros / viajar
7 Ellas / ir de compras
8 Mi marido / ópera
9 ¿Vosotros / comida española?
10 ¿Tú / carne?
11 Yo / música clásica
12 Mis hermanas / plantas

3 Ordena para formar frases.

1 Pablo / mucho / ir / gusta / cine / a / al / le
2 café / no / el / gusta / me / mí / a
3 Pablo / les / a / Rosa / gusta / a / nadar / y
4 Ana / no / los / hacer / deberes / nada / le / a / gusta
5 nosotros / no / gustan / nos / lunes / a / los
6 viajar / mucho / les / a / ellas / gusta
7 ¿ a / gatos / gustan / vosotros / os / los?
8 tío / encanta / a / la / clásica / mi / música / le
9 ¿gustan / te / caracoles / los?
10 trabajar / a / Ismael / mucho / le / no / gusta
11 gazpacho / el / María / no / mucho / gusta / a / le
12 verduras / los / las / niños / gustan / no / a / les

IMPERATIVO

4 Escribe el imperativo.

1 Beber / agua
   Bebe agua
2 Comer / más
3 Escribir / en tu cuaderno
4 Cortar / el pan
5 Trabajar / más
6 Hablar / menos
7 Estudiar / Historia
8 Entrar / por aquí
9 Mirar / a la pizarra
10 Abrir / la puerta

COMIDA Y BEBIDA

5 Clasifica los platos siguientes en primero, segundo y postre.

natillas • helado • sopa de fideos • vino blanco
fruta • ensalada • merluza a la plancha
escalope de ternera • cerveza • pollo asado
agua mineral • flan • chuletas de cordero
vino tinto • espárragos con mayonesa • queso

Primero	Postre
_____	_____
_____	_____
_____	_____
_____	_____

Segundo	Bebida
_____	_____
_____	_____
_____	_____
_____	_____

ACTIVIDADES DE TIEMPO LIBRE

6 Completa las palabras con las vocales (*a, e, i, o, u*).

1 b_ l_ r
2 v_ _ j_ r
3 n_ d_ r
4 l_ _ r
5 _nd_ r
6 n_ v_ g_ r por _nt_ r n_ t
7 m_ nt_ r en b_ c_ cl_ t_
8 _ r al t_ _ tr_
9 v_ r _n_ p_ l_ c_ l_
10 h_ c_ r d_ p_ rt_

7 Relaciona.

1 andar
2 navegar
3 ir
4 ver
5 montar
6 leer
7 jugar

a al fútbol / al tenis
b el periódico / una novela
c de compras
d por la montaña / por el campo
e en el mar / en internet
f una película / una exposición
g en bicicleta

GRAMÁTICA

IMPERATIVOS IRREGULARES

→ Los verbos en imperativo tienen la misma irregularidad que en presente.

Infinitivo	Presente	Imperativo
cerrar	cierro	cierra, cierre
dormir	duermo	duerme, duerma
sentarse	me siento	siéntate, siéntese
poner	pongo	pon, ponga
decir	digo	di, diga
venir	vengo	ven, venga
hacer	hago	haz, haga
irse	voy	vete, váyase
salir	salgo	sal, salga
hervir	hiervo	hierve, hierva
tener	tengo	ten, tenga
torcer	tuerzo	tuerce, tuerza
seguir	sigo	sigue, siga

→ Se usa el imperativo:
- Para dar instrucciones o consejos.
  *Primero **eche** una cucharada de sal, luego **hierva** el arroz durante…*
  *Si te duele la cabeza, **toma** una pastilla y **acuéstate**.*
- Hacer peticiones o dar órdenes, especialmente seguido de *por favor*.
  ***Habla** más despacio, <u>por favor</u>.*
  ***Siéntese**, <u>por favor</u>.*
  *¡**Ven** aquí ahora mismo!*

Toma este vaso de leche y acuéstate.

SER / ESTAR

Ser

→ Se usa para describir características o cualidades de algo o de alguien: tamaño, color, carácter…
  *Luis **es** alto y delgado.*
  *Su casa **es** pequeña.*
  *Su coche **es** rojo.*
  *Luis **es** muy simpático.*

→ Expresa también nacionalidad, profesión, posesión…
  *Mary **es** inglesa.*
  *¿Ellos **son** médicos?*
  *Ese libro no **es** mío.*

Estar

→ Expresa lugar o posición.
  *El colegio **está** en la c/ Velázquez.*
  *La parada de autobús **está** enfrente de mi casa.*

→ Sirve para expresar también estados de salud o de ánimo.
  *Clara **está** enferma, tiene gripe.*
  *Hoy **estoy** muy contenta.*

→ Con los adverbios *bien* y *mal* siempre usamos *estar*.
  *Este ejercicio **está** (es) mal.*

VOCABULARIO

TRANSPORTES

> billete • autobús • metro • tren
> línea de metro • viaje • estación • parada

ADJETIVOS

> tranquilo • ruidoso • céntrico • rápido • frío
> lento • malo • pequeño • fácil • difícil • bueno

ADVERBIOS

> cerca • lejos • bien • mal

Ejercicios prácticos

IMPERATIVOS IRREGULARES

1 Escribe el imperativo.

1	dormir (usted)	
2	hacer (tú)	
3	salir (tú)	
4	poner (usted)	
5	tener (usted)	
6	irse (usted)	
7	venir (tú)	
8	decir (usted)	
9	hervir (usted)	
10	cerrar (usted)	
11	torcer (tú)	
12	seguir (tú)	
13	acostarse (usted)	
14	poner (tú)	
15	venir (usted)	
16	sentarse (tú)	
17	ponerse (usted)	
18	tomar (tú)	

2 Completa las frases utilizado el imperativo de los verbos del recuadro.

> sentarse • decir • cerrar • irse • tener • dormir
> hacer • venir • ponerse • salir • acostarse

1 (usted) _____ con cuidado. El suelo está mojado.
2 Hace mucho frío. (tú) _____ la ventana, por favor.
3 (tú) _____ paciencia. Vuelvo enseguida.
4 Pedro, _____ la gorra. Hace mucho sol.
5 (tú) _____ temprano. Mañana es lunes.
6 (usted) _____ el ejercicio número seis para mañana.
7 _____ tu nombre y tu fecha de nacimiento.
8 (tú) _____ a la cama y _____ tranquilo. Yo me encargo de todo.
9 (usted) _____ un momento, por favor. El doctor la atiende enseguida.
10 (tú) _____ a mi casa a ver el partido.

SER / ESTAR

3 Elige la forma correcta.

1 Alicia y José Luis *son / están* en Málaga.
2 El piso *es / está* en un barrio tranquilo.
3 La profesora de mi hijo *es / está* muy joven.
4 ¿Dónde *están / está* mi móvil?
5 Siempre *es / está* de buen humor.
6 Estos zapatos *son / están* muy caros.
7 ¿Quién *está / es* ese chico nuevo?
8 Tu barrio no *es / está* muy lejos del centro.
9 Mis amigos no *son / están* aficionados al baloncesto.
10 Mi madre *es / está* muy mayor, pero *es / está* muy bien de salud.
11 Mi novio *es / está* informático. Trabaja mucho.
12 Susana hoy *es / está* muy nerviosa, pero normalmente *es / está* una persona tranquila.

4 Completa las frases con la forma adecuada de *ser* o *estar*.

1 Mañana _____ el día de mi cumpleaños.
2 Faysal y Nizha _____ de Marruecos.
3 Hoy la paella _____ muy buena.
4 Galicia _____ en el norte de España.
5 Mi amigo Miguel _____ muy inteligente.
6 Mi casa no _____ muy grande.
7 ¿(tú) _____ en casa por las tardes?
8 ¿Tu barrio _____ tranquilo?
9 ¿(vosotros) _____ preparados para empezar?
10 Los padres de María _____ periodistas.

VOCABULARIO

5 Encuentra la palabra que no pertenece al grupo.

1 metro • tren • céntrico • avión
2 rápido • billete • lento • ruidoso
3 bueno • cerca • lejos • bien
4 ven • haz • toma • viajo
5 coches • arroz • calles • estación
6 Roma • Inglaterra • París • perro
7 grande • pequeño • tranquilo • bien
8 cierra • toma • ven • habla
9 pon • diga • ven • vete
10 venga • haga • vete • váyase

GRAMÁTICA

GERUNDIO DE VERBOS REGULARES

Infinitivo	Gerundio
llorar	llorando
comer	comiendo
escribir	escribiendo

GERUNDIO DE VERBOS IRREGULARES

Infinitivo	Gerundio
leer	leyendo
dormir	durmiendo

ESTAR + GERUNDIO

Estar + gerundio		
yo	estoy	
tú	estás	
él / ella / Ud.	está	hablando
nosotros/as	estamos	
vosotros/as	estáis	
ellos / ellas / Uds.	están	

→ *Estar* + gerundio suele expresar acciones que se desarrollan en el momento en que se habla.

- ■ ¿Qué **estás haciendo**?
- ● **Estoy leyendo** el periódico.

ESTAR + GERUNDIO (VERBOS REFLEXIVOS)

Estoy lavándome. / Me estoy lavando.
Estás lavándote. / Te estás lavando.
Está lavándose. / Se está lavando.
Estamos lavándonos. / Nos estamos lavando.
Estáis lavándoos. / Os estáis lavando.
Están lavándose. / Se están lavando.

VOCABULARIO

HABLAR POR TELÉFONO

¿Sí? • No está en este momento
¿Quiere dejar un recado? • ¿Diga?

VERBOS DE ACTIVIDADES

leer el periódico

jugar a las cartas

lavarse

pintar

ir al cine

bañarse

bailar

pasear

jugar al fútbol

DESCRIPCIÓN DE PERSONAS

- PELO: rubio / moreno / largo / corto
- OJOS: claros / oscuros / marrones / verdes
- ES: mayor / joven / alto / bajo / delgado / gordo
- LLEVA: barba / bigote / gafas

CARÁCTER

simpático • antipático • tacaño
generoso • hablador • serio
alegre • educado • callado

Ejercicios prácticos

ESTAR + GERUNDIO (VERBOS REFLEXIVOS)

1 Completa siguiendo el ejemplo.

1 ■ ¿Qué estás haciendo?
  ● Me estoy duchando. = _Estoy duchándome._

2 ■ ¿Dónde está Manolo?
  ● Se está afeitando. = _____

3 ¿Todavía te estás bañando? = _____

4 ■ ¿Qué hacéis?
  ● _____ = Nos estamos arreglando.

5 _____ = Los niños ya se están acostando.

6 María se está lavando los dientes. = _____

7 ■ ¿Qué haces ahora?
  ● _____ = Me estoy pintando las uñas.

8 ■ ¿Qué está haciendo Raquel?
  ● _____ = Se está vistiendo.

HABLAR POR TELÉFONO

2 Completa con las palabras del recuadro.

> muchas gracias • recado • momento

■ Agencia Segurarte. Buenos días.
● Buenos días. ¿Puedo hablar con el Sr. González?
■ Lo siento, en este _____ no está. ¿Quiere dejarle un _____?
● Sí, por favor, dígale que soy Laura García y que mañana no puedo ir a la cita.
■ De acuerdo. Le dejo una nota.
● Muy bien. _____.

VERBOS DE ACTIVIDADES

3 Relaciona.

1 jugar
2 dormir
3 bañarse
4 lavar
5 pintarse
6 salir
7 conectarse
8 ir

a la siesta
b el coche
c a internet
d a los videojuegos
e con los amigos
f en la piscina
g al teatro
h los labios

DESCRIPCIÓN DE PERSONAS

4 Completa según el dibujo.

Tiene
- el pelo
  - rubio / _____ / castaño
  - largo / _____
  - rizado / _____
- los ojos
  - claros / _____
  - marrones / azules

Tiene / Lleva
- barba
- _____
- _____

Es
- mayor / _____
- alto / bajo
- _____ / gordo

GRAMÁTICA

PRETÉRITO INDEFINIDO (VERBOS REGULARES)

Trabajar	Comer	Salir
trabajé	comí	salí
trabajaste	comiste	saliste
trabajó	comió	salió
trabajamos	comimos	salimos
trabajasteis	comisteis	salisteis
trabajaron	comieron	salieron

➜ El pretérito indefinido expresa acciones acabadas en un momento determinado del pasado.

> Ayer **trabajé** mucho.
> El verano pasado **estuve** en Cancún.

PRETÉRITO INDEFINIDO (VERBOS IRREGULARES)

Hacer	Ir / Ser	Estar
hice	fui	estuve
hiciste	fuiste	estuviste
hizo	fue	estuvo
hicimos	fuimos	estuvimos
hicisteis	fuisteis	estuvisteis
hicieron	fueron	estuvieron

VOCABULARIO

ESTABLECIMIENTOS

farmacia • oficina de correos • comisaría
iglesia • museo • quiosco • mercado • estanco

OBJETOS

medicinas • cartas • periódicos
sellos • tabaco

ESTACIONES DEL AÑO

el invierno   la primavera   el verano   el otoño

MESES DEL AÑO

enero • febrero • marzo • abril • mayo
junio • julio • agosto • septiembre • octubre
noviembre • diciembre

EL TIEMPO

llover • llueve • está lloviendo • nevar • nieva
está nevando • hace frío • hace (mucho) calor
hace viento • está nublado

está lloviendo   **está nevando**

hace mucho calor   **hace viento**

hace frío   **está nublado**

Ejercicios prácticos

PRETÉRITO INDEFINIDO (VERBOS REGULARES)

1 Completa las frases con el pretérito indefinido de los verbos del recuadro.

> ver • ganar • invitar • escuchar
> jugar • salir • vivir • escribir
> comprar • llegar

1 El sábado pasado _____ (yo) muy tarde de trabajar.
2 ¿(tú) _____ ayer las noticias en la tele?
3 Ayer, después de cenar, Pablo y yo _____ un rato al ajedrez.
4 Mis primos nos _____ a la fiesta de cumpleaños de su hija el domingo pasado.
5 Pablo Picasso _____ muchos años en París.
6 La semana pasada (yo) _____ en la radio el último disco de Serrat.
7 Cervantes _____ El Quijote en el siglo XVII.
8 Mi compañero _____ tarde a la reunión del jueves.
9 ¿Dónde (tú) _____ los libros de español ayer?
10 ¿Quién _____ el partido el domingo?

PRETÉRITO INDEFINIDO (VERBOS IRREGULARES)

2 Completa las frases con el pretérito indefinido de ir / ser / estar.

1 El jueves por la tarde no _____ en casa. _____ al cine con los niños. (nosotros)
2 El domingo pasado no hizo sol. _____ un día muy frío.
3 ■ ¿Cuándo _____ Ana y tú a Buenos Aires?
   • _____ las Navidades pasadas.
4 ¿Quién _____ el primero en llegar en la carrera del sábado pasado?
5 No _____ ayer a trabajar. _____ en el médico. (yo)

3 Haz preguntas como en el ejemplo.

1 Ir al teatro el jueves. (tú)
   ¿Fuiste al teatro el jueves?
2 Ver la última película de Almodóvar. (vosotros)
3 Mandar un correo electrónico a Carlos. (Elena)
4 Estar en la montaña el fin de semana pasado. (tú)
5 Vivir en París. (Joan Miró)
6 Comer fabada en Asturias. (vosotros)
7 Conocer a los padres de Ana el verano pasado. (tú)
8 Levantarse muy tarde ayer. (tus hijos)
9 Ir a la playa el verano pasado. (vosotros)
10 Ser el último en llegar. (tú)
11 Trabajar hasta muy tarde ayer. (vosotros)

4 Completa el texto con las palabras del recuadro.

> fue • hace • estuvo • hizo • está

Ayer el tiempo estuvo variable en las distintas zonas de España. En el norte (1) _____ lloviendo e (2) _____ mucho frío. En el este hizo viento y estuvo nublado. En el centro y en el sur, la temperatura (3) _____ más suave. Hoy también (4) _____ lloviendo en el norte de España y en el sur (5) _____ sol y calor.

VOCABULARIO

5 Encuentra la palabra que no pertenece al grupo.

1 farmacia • medicinas • mercado • estanco
2 verano • periódicos • sellos • fruta
3 primavera • verano • agosto • invierno
4 septiembre • enero • mayo • otoño
5 viento • nieve • verano • calor
6 frío • llover • nevar • hacer
7 compró • nevó • salió • llueve
8 salió • termino • empezó • comió
9 trabajé • comí • estuve • fue
10 sale • lleva • fue • corre

GRAMÁTICA

DEMOSTRATIVOS (ADJETIVOS Y PRONOMBRES)

Demostrativos (adjetivos y pronombres)		
	singular	plural
masculino	este /ese / aquel	estos / esos / aquellos
femenino	esta / esa / aquella	estas / esas / aquellas

Pronombres demostrativos (neutro)		
esto	eso	aquello

→ Los adjetivos demostrativos van delante del nombre y concuerdan con él en género y número.

> **Este** coche es de mi vecino.
> **Esas** chicas son muy simpáticas.

→ Los pronombres demostrativos *esto, eso, aquello* nunca van con el nombre. Se refieren a una idea o a algo de lo que no sabemos el género.

> **Esto** no me gusta nada.
> ¿Qué es **aquello** que se ve en el cielo?

→ El uso de un pronombre u otro nos indica la cercanía o lejanía del objeto señalado.

> **Este** coche. (cerca del hablante, aquí)
> **Ese** coche. (cerca del oyente, ahí)
> **Aquel** coche. (lejos de los dos, allí)

PRONOMBRES PERSONALES DE OBJETO DIRECTO

sujeto	objeto
yo	me
tú	te
él / ella / Ud.	lo / la / le
nosotros/as	nos
vosotros/as	os
ellos / ellas / Uds.	los / las / les

> ¿Compramos *las flores*? = ¿**Las** compramos?
> Hoy no he visto *a tu padre*. = Hoy no **lo** he visto.
> ¿Sabes que vendo *mi casa*? = ¿Sabes que **la** vendo?

→ Normalmente, los pronombres personales de objeto directo van delante del verbo y separados.

> **Te** quiero.

→ Pero con el imperativo afirmativo van detrás y unidos al verbo.

> ¡Míra**me**!
> Cómpra**lo**, por favor.

→ Con algunas construcciones pueden ir delante o detrás.

> *La puerta* está abierta, ¿puedes cerrar**la**? = ¿**la** puedes cerrar?

CONCORDANCIA DEL NOMBRE Y LOS ADJETIVOS DE COLOR

→ Los adjetivos concuerdan en género y número con el nombre al que se refieren.

> ¿Puedo coger el <u>bolígrafo</u> **rojo**?
> Tengo unos <u>pantalones</u> **marrones**.

	singular	plural
masculino	blanco / verde / azul	blanc**os** / verd**es** / azul**es**
femenino	blanca / verde / azul	blanc**as** / verd**es** / azul**es**

→ Hay colores que son nombres de plantas, flores y frutos que normalmente no cambian en género ni en número:

> pantalones **rosa**   zapatos (de color) **naranja**

COMPARATIVOS

más + adjetivo + que
Juan es **más simpático que** Pedro.

menos + adjetivo + que
Pedro es **menos simpático que** Juan.

tan + adjetivo + como
Juan (no) es **tan alto como** Pedro.

COMPARATIVOS IRREGULARES

bueno	**mejor / mejores + que**
Esta película **es mejor que** esa.	

malo	**peor / peores + que**
Esos pasteles **son peores que** estos.	

grande	**mayor / mayores + que**
Yo soy **mayor que** ella.	

pequeño	**menor / menores + que**
Sus hijos son **menores que** los míos.	

→ **Mayor** y **menor** se refieren sobre todo a la edad, no al tamaño.

> Mi hermano **mayor** es arquitecto.
> Él es el **menor** de sus hermanos.
> Su casa es **más grande que** la mía.
> Mi ciudad es **más pequeña que** la tuya.

VOCABULARIO

ROPA Y COMPLEMENTOS

anillo • camisa • camiseta • cartera • collar
corbata • falda • gafas • jersey • medias
pendientes • vaqueros • zapatos
zapatillas deportivas

Ejercicios prácticos

DE COMPRAS

1 Ordena la siguiente conversación.

☐ Dependiente: 180 euros.
☐ Clienta: ¿Puedo probármelas?
☐ Dependiente: Buenos días, ¿puedo ayudarla?
☐ Cliente: Me gustan, me las llevo.
☐ Dependiente: Sí, estas están rebajadas, cuestan 120 euros.
☐ Cliente: Sí, ¿cuánto cuestan estas gafas de sol rojas?
☐ Dependiente: ¿Cómo paga, con tarjeta o en efectivo?
☐ Cliente: ¿No tiene otras más baratas?
☐ Dependiente: Sí, claro.
☐ Cliente: Con tarjeta.

PRONOMBRES PERSONALES DE OBJETO DIRECTO

2 Sustituye la parte subrayada por un pronombre *(lo, la, los, las)*.

1 ▪ ¿Vendiste el ordenador antiguo?
  ● Sí, lo vendí el lunes pasado.
2 ▪ ¿Viste ayer a Rocío?
  ● No, al final no ____ vi.
3 ▪ ¿Viste anoche la película de la tele?
  ● No, no ____ vi.
4 ▪ ¿Compraste el periódico el sábado pasado?
  ● No, no ____ compré.
5 ▪ ¿Y compraste los zapatos que te encargué?
  ● No, no ____ compré, no tuve tiempo.
6 ▪ ¿Estudiaste los verbos ayer?
  ● Sí, ____ estudié antes de acostarme.
7 ▪ ¿Llevaste al niño al médico?
  ● Sí, ____ llevé el lunes.
8 ▪ ¿Escuchaste las noticias en la radio?
  ● No, no ____ escuché, ¿por qué preguntas?
9 ▪ ¿Llevaste el coche a arreglar?
  ● No, no ____ llevé, no tuve tiempo.
10 ▪ ¿Llamaste por teléfono a tus padres?
  ● Sí, ____ llamé el domingo.
11 ▪ ¿Y llamaste a tus hermanas?
  ● Sí, ____ llamé el sábado.
12 ▪ ¿Hiciste la cena?
  ● No, no ____ hice, no tuve tiempo.
13 ▪ ¿Viste el cuadro que ha comprado Luis?
  ● Sí, ____ vi el martes, es precioso.

3 Completa con un pronombre de objeto directo: *me, te, lo (le), la, nos, os, los (les), las.*

1 Santiago, ¿vamos a tomar algo?, ____ invito.
2 Alicia ____ invitó a comer el día de su cumpleaños. (a nosotros)
3 ¿A vosotras no ____ invitó? Yo creo que se olvidó.
4 A mí ____ invita todos los años.
5 ▪ ¿A ti ____ invitó?
  ● No, a mí no ____ invitó.
6 ▪ Alicia, ¿el año pasado invitaste a Jaime y Paloma?
  ● Sí, claro que ____ invité.
7 Ana no tiene mucho dinero, ¿____ invitamos a ir al cine?
8 ▪ ¿Y las hermanas de Jaime?
  ● A ellas yo no ____ invito, no me caen bien.
9 ▪ Hoy ____ invito yo a tomar café, y mañana ____ invitas tú a mí, ¿vale?
  ● Vale.
10 ▪ ¡Qué rollo! A nosotras no ____ invita nadie a café.
  ● Sí, yo ____ invito hoy.
11 Y a Andrés, ¿quién ____ invita?

COMPARATIVOS

4 Completa con los comparativos del recuadro.

| menos… que • tan… como • mejor(es) |
| más… que • peor(es) • mayor(es) |

1 Nadar es ____ relajante ____ jugar a fútbol.
2 El pescado es ____ digestivo ____ la carne.
3 Estos zapatos no son ____ cómodos ____ esos.
4 Aquel coche es mucho ____ caro ____ este.
5 El vestido gris es ____ elegante ____ el rojo, pero no es ____ bonito.
6 Yo voy a este dentista porque es ____ que el otro.
7 Este restaurante es ____ que el otro. No me gusta nada.
8 Los productos de este mercado son ____ que los del otro mercado, por eso vengo siempre aquí.
9 Julia tiene veintiséis años, es ____ que su hermana, que tiene diez años.

GRAMÁTICA

VERBO *DOLER*. PRESENTE

(a mí)	me	
(a ti)	te	
(a él / ella / Ud.)	le	**duele** la cabeza
(a nosotros/as)	nos	**duelen** los oídos
(a vosotros/as)	os	
(a ellos / ellas / Uds.)	les	

→ El verbo **doler**, al igual que el verbo *gustar*, se utiliza en la tercera persona del singular o del plural, según sea el sujeto.

¿*Te duele* <u>la cabeza</u>?
A Ana **le duelen** <u>los oídos</u>.

PRETÉRITO IMPERFECTO (VERBOS REGULARES)

viajar	tener	salir
viaj**aba**	ten**ía**	sal**ía**
viaj**abas**	ten**ías**	sal**ías**
viaj**aba**	ten**ía**	sal**ía**
viaj**ábamos**	ten**íamos**	sal**íamos**
viaj**abais**	ten**íais**	sal**íais**
viaj**aban**	ten**ían**	sal**ían**

→ Usamos el pretérito imperfecto para expresar acciones habituales en el pasado.

Cuando éramos jóvenes, **íbamos** a la discoteca.
Ahora no salimos, pero antes **salíamos** mucho.

→ También se usa para describir en el pasado.
Mi profesor de matemáticas **era** simpático y nunca nos **castigaba**.

PRETÉRITO IMPERFECTO (VERBOS IRREGULARES)

ir	ser	ver
iba	era	veía
ibas	eras	veías
iba	era	veía
íbamos	éramos	veíamos
ibais	erais	veíais
iban	eran	veían

IR A + INFINITIVO

Ir a + infinitivo		
yo	voy a	
tú	vas a	
él / ella / Ud.	va a	estudiar
nosotros/as	vamos a	
vosotros/as	vais a	
ellos / ellas / Uds.	van a	

VOCABULARIO

EL CUERPO HUMANO

brazo • cabeza • cara • cuello
dedo • espalda • estómago • garganta
hombro • mano • oído • oreja
pecho • pie • pierna • rodilla

rodilla · pie · pierna · espalda · pecho · oreja · hombro · cuello · cara · brazo · mano · dedo

Ejercicios prácticos

VERBO *DOLER*. PRESENTE

1 Completa el hueco con el pronombre y elige la forma correcta.

1 La música está muy alta. A mí ____ *duele / duelen* los oídos.
2 Cuando tomo mucho el sol ____ *duele / duelen* la cabeza.
3 Mi hermano lleva unos zapatos nuevos y ____ *duele / duelen* los pies.
4 ¿____ *duelen / duele* la garganta? Tómate un vaso de leche caliente.
5 Ayer comimos mucho y hoy ____ *duele / duelen* el estómago.

PRETÉRITO IMPERFECTO

2 Escribe la forma correspondiente.

1	ganar, yo	*ganaba*
2	entrar, tú	
3	ser, ella	
4	vivir, nosotros	
5	ir, ellos	
6	levantarse, yo	
7	leer, vosotros	
8	hacer, él	
9	comprar, ellos	
10	salir, tú	
11	ver, yo	

3 Escribe frases con el pretérito imperfecto.

1 Elías / no tener / mucho dinero
2 Cuando / ser (yo) / joven / no comer / muchas verduras
3 ¿Dónde / vivir / Juan y Marta / cuando / estar / en Argentina?
4 Antes / le / ver (yo) / casi todos los días
5 Daniel / no estudiar / español / en la escuela.
6 ¿Cuál / ser (él) / asignatura favorita / cuando / ir / al colegio?
7 ¿Dónde / vivir (tú) / en Argentina?
8 ¿A qué hora / acostarse (tú) / cuando / ser / pequeño?

4 Corrige los errores.

1 Ayer, a la salida del cine, llueve mucho.
2 ¿Dónde iba Isabel y Fernando cuando los visteis?
3 ¿A qué hora salir del colegio cuando eras pequeño?
4 Yo tenía dos horas de clase a la semana cuando estudio español.
5 Antes siempre desayunamos en una cafetería.

IR A + INFINITIVO

5 Completa las frases con *ir a* + infinitivo con los verbos del recuadro.

> jugar • visitar • comer • participar • celebrar
> ayudar • trabajar • repasar • viajar • comprar

1 Juanjo y Carlos _____ en una pizzería.
2 ¿Dónde _____ tu cumpleaños?
3 Manuel y yo _____ en un campeonato de ajedrez.
4 ¿(vosotros) _____ el partido de mañana?
5 ¿(tú) _____ a José a recoger la cocina?
6 Beatriz _____ a Brasil este verano.
7 El próximo verano (yo) _____ a mis amigos escoceses.
8 El año que viene Concha y yo _____ en una nueva empresa.
9 Mi hermano y su mujer _____ un coche nuevo.
10 (yo) _____ el vocabulario para el examen de mañana.

EL CUERPO HUMANO

6 Elige la palabra correcta.

1 Ayer monté en bicicleta y hoy me duele la *cabeza / rodilla*.
2 Hoy no puedo comer porque me duele el *estómago / oído*.
3 Tengo gripe y me duele la *cara / cabeza*.
4 ¡Ten cuidado! No te cortes un *dedo / ojo* al partir el pan.
5 Tengo mucha tos y me duele el *hombro / pecho*.
6 Tengo que ir al dentista. ¡Me duelen mucho las *muelas / manos*!

Verbos

VERBOS REGULARES

Presente	Pretérito indefinido	Pretérito imperfecto	Imperativo	Gerundio
TRABAJAR				
trabajo	trabajé	trabajaba		trabajando
trabajas	trabajaste	trabajabas	trabaja (tú)	
trabaja	trabajó	trabajaba	trabaje (Ud.)	
trabajamos	trabajamos	trabajábamos		
trabajáis	trabajasteis	trabajabais	trabajad (vosotros)	
trabajan	trabajaron	trabajaban	trabajen (Uds.)	
BEBER				
bebo	bebí	bebía		bebiendo
bebes	bebiste	bebías	bebe (tú)	
bebe	bebió	bebía	beba (Ud.)	
bebemos	bebimos	bebíamos		
bebéis	bebisteis	bebíais	bebed (vosotros)	
beben	bebieron	bebían	beban (Uds.)	
ESCRIBIR				
escribo	escribí	escribía		escribiendo
escribes	escribiste	escribías	escribe (tú)	
escribe	escribió	escribía	escriba (Ud.)	
escribimos	escribimos	escribíamos		
escribís	escribisteis	escribíais	escribid (vosotros)	
escriben	escribieron	escribían	escriban (Uds.)	

VERBOS IRREGULARES

Presente	Pretérito indefinido	Pretérito imperfecto	Imperativo	Gerundio
CERRAR				
cierro	cerré	cerraba		cerrando
cierras	cerraste	cerrabas	cierra (tú)	
cierra	cerró	cerraba	cierre (Ud.)	
cerramos	cerramos	cerrábamos		
cerráis	cerrasteis	cerrabais	cerrad (vosotros)	
cierran	cerraron	cerraban	cierren (Uds.)	
DAR				
doy	di	daba		dando
das	diste	dabas	da (tú)	
da	dio	daba	dé (Ud.)	
damos	dimos	dábamos		
dais	disteis	dabais	dad (vosotros)	
dan	dieron	daban	den (Uds.)	

Presente	Pretérito indefinido	Pretérito imperfecto	Imperativo	Gerundio
DECIR				
digo	dije	decía		diciendo
dices	dijiste	decías	di (tú)	
dice	dijo	decía	diga (Ud.)	
decimos	dijimos	decíamos		
decís	dijisteis	decíais	decid (vosotros)	
dicen	dijeron	decían	digan (Uds.)	
ESTAR				
estoy	estuve	estaba		estando
estás	estuviste	estabas	está (tú)	
está	estuvo	estaba	esté (Ud.)	
estamos	estuvimos	estábamos		
estáis	estuvisteis	estabais	estad (vosotros)	
están	estuvieron	estaban	estén (Uds.)	
HACER				
hago	hice	hacía		haciendo
haces	hiciste	hacías	haz (tú)	
hace	hizo	hacía	haga (Ud.)	
hacemos	hicimos	hacíamos		
hacéis	hicisteis	hacíais	haced (vosotros)	
hacen	hicieron	hacían	hagan (Uds.)	
IR				
voy	fui	iba		yendo
vas	fuiste	ibas	ve (tú)	
va	fue	iba	vaya (Ud.)	
vamos	fuimos	íbamos		
vais	fuisteis	ibais	id (vosotros)	
van	fueron	iban	vayan (Uds.)	
OÍR				
oigo	oí	oía		oyendo
oyes	oíste	oías	oye (tú)	
oye	oyó	oía	oiga (Ud.)	
oímos	oímos	oíamos		
oís	oísteis	oíais	oíd (vosotros)	
oyen	oyeron	oían	oigan (Uds.)	
PEDIR				
pido	pedí	pedía		pidiendo
pides	pediste	pedías	pide (tú)	
pide	pidió	pedía	pida (Ud.)	
pedimos	pedimos	pedíamos		
pedís	pedisteis	pedíais	pedid (vosotros)	
piden	pidieron	pedían	pidan (Uds.)	

Verbos

Presente	Pretérito indefinido	Pretérito imperfecto	Imperativo	Gerundio
PODER				
puedo	pude	podía		pudiendo
puedes	pudiste	podías	puede (tú)	
puede	pudo	podía	pueda (Ud.)	
podemos	pudimos	podíamos		
podéis	pudisteis	podíais	poded (vosotros)	
pueden	pudieron	podían	puedan (Uds.)	
PONER				
pongo	puse	ponía		poniendo
pones	pusiste	ponías	pon (tú)	
pone	puso	ponía	ponga (Ud.)	
ponemos	pusimos	poníamos		
ponéis	pusisteis	poníais	poned (vosotros)	
ponen	pusieron	ponían	pongan (Uds.)	
QUERER				
quiero	quise	quería		queriendo
quieres	quisiste	querías	quiere (tú)	
quiere	quiso	quería	quiera (Ud.)	
queremos	quisimos	queríamos		
queréis	quisisteis	queríais	quered (vosotros)	
quieren	quisieron	querían	quieran (Uds.)	
SABER				
sé	supe	sabía		sabiendo
sabes	supiste	sabías	sabe (tú)	
sabe	supo	sabía	sepa (Ud.)	
sabemos	supimos	sabíamos		
sabéis	supisteis	sabíais	sabed (vosotros)	
saben	supieron	sabían	sepan (Uds.)	
SALIR				
salgo	salí	salía		saliendo
sales	saliste	salías	sal (tú)	
sale	salió	salía	salga (Ud.)	
salimos	salimos	salíamos		
salís	salisteis	salíais	salid (vosotros)	
salen	salieron	salían	salgan	
SEGUIR				
sigo	seguí	seguía		siguiendo
sigues	seguiste	seguías	sigue (tú)	
sigue	siguió	seguía	siga (Ud.)	
seguimos	seguimos	seguíamos		
seguís	seguisteis	seguíais	seguid (vosotros)	
siguen	siguieron	seguían	sigan (Uds.)	

Presente	Pretérito indefinido	Pretérito imperfecto	Imperativo	Gerundio
SER				
soy	fui	era		siendo
eres	fuiste	eras	sé (tú)	
es	fue	era	sea (Ud.)	
somos	fuimos	éramos		
sois	fuisteis	erais	sed (vosotros)	
son	fueron	eran	sean (Uds.)	
TENER				
tengo	tuve	tenía		teniendo
tienes	tuviste	tenías	ten (tú)	
tiene	tuvo	tenía	tenga (Ud.)	
tenemos	tuvimos	teníamos		
tenéis	tuvisteis	teníais	tened (vosotros)	
tienen	tuvieron	tenían	tengan (Uds.)	
VENIR				
vengo	vine	venía		viniendo
vienes	viniste	venías	ven (tú)	
viene	vino	venía	venga (Ud.)	
venimos	vinimos	veníamos		
venís	vinisteis	veníais	venid (vosotros)	
vienen	vinieron	venían	vengan (Uds.)	
VER				
veo	vi	veía		viendo
ves	viste	veías	ve (tú)	
ve	vio	veía	vea (Ud.)	
vemos	vimos	veíamos		
veis	visteis	veíais	ved (vosotros)	
ven	vieron	veían	vean (Uds.)	
VOLVER				
vuelvo	volví	volvía		volviendo
vuelves	volviste	volvías	vuelve (tú)	
vuelve	volvió	volvía	vuelva (Ud.)	
volvemos	volvimos	volvíamos		
volvéis	volvisteis	volvíais	volved (vosotros)	
vuelven	volvieron	volvían	vuelvan (Uds.)	

Transcripciones

Antes de empezar

1

Profesora: ¡Hola! Me llamo Maribel y soy la profesora de español. Vamos a presentarnos. A ver, empieza tú, ¿cómo te llamas?
Estudiante 1: Me llamo Marcelo.
Profesora: ¿De dónde eres, Marcelo?
Estudiante 1: Soy brasileño, de Porto Alegre.
Estudiante 2: Yo me llamo Isabelle y soy francesa.

4

Las vocales:
A – E – I – O – U
Las consonantes: B – C – D – F – G – H – J – K – L – M – N – Ñ – P – Q – R – S – T – V – W – X – Y – Z
Los conjuntos de letras: CH – LL

5

ca: casa – **que:** queso – **qui:** quiero – **co:** color – **cu:** cuatro
ga: gato – **gue:** guerra – **gui:** guitarra – **go:** agosto – **gu:** agua
za: zapato – **ce:** cerrado – **ci:** cine – **zo:** zoo – **zu:** azul
ja: jamón – **je** / **ge:** jefe / genio – **ji** / **gi:** jirafa / gitano – **jo:** jota – **ju:** julio

7

1 erre-o-eme-e-erre-o; 2 de-i-a-zeta; 3 ge-o-ene-zeta-a-ele-uve-o; 4 erre-i-be-e-erre-a; 5 ge-i-eme-e-ene-e-zeta; 6 pe-a-de-i-ene

10

alemán – alemana – japonés – profesor – estudiante – profesora – brasileño – hospital – estudiar – libro – lección – compañero – madre

12

fiesta – hotel – cine – hospital – restaurante – flamenco – tango – bar – chocolate – café – salsa – playa – paella – guitarra – siesta

UNIDAD 1 - Saludos

2

En clase
Isabelle: ¡Hola, Marcelo!, ¿qué tal?
Marcelo: Bien, ¿y tú?
Isabelle: Muy bien. Mira, esta es Ulrike, una nueva compañera, es alemana.
Marcelo: ¡Hola! ¡Encantado! ¿Eres de Berlín?
Ulrike: Sí, pero ahora vivo en Madrid.

En un hotel
Recepcionista: Su nombre, por favor.
Fernando: Yo me llamo Fernando Álvarez y ella es Carmen Hernández.
Recepcionista: ¿De dónde son ustedes?
Fernando: Somos argentinos, de Buenos Aires.
Recepcionista: Ah, Buenos Aires... Aquí están sus tarjetas, bienvenidos a Madrid.
Fernando: Gracias.

En una oficina
Díaz: ¡Buenos días!, señor Álvarez, ¿qué tal está?
Álvarez: Muy bien, gracias. Mire, le presento a Marta Rodríguez, la nueva directora.
Díaz: Encantado de conocerla, yo me llamo Gerardo Díaz, y soy el responsable de administración.
Rodríguez: Mucho gusto, Gerardo.

4

En una cafetería
Luis: ¡Hola, Eva!, ¿qué tal?
Eva: Bien, ¿y tú?
Luis: Muy bien. Mira, este es Roberto, un compañero nuevo.
Eva: ¡Hola! ¡Encantada! ¿De dónde eres?
Roberto: Soy cubano.

7

1 China: chino / china; 2 Irán: iraní / iraní; 3 Reino Unido: británico / británica; 4 Turquía: turco / turca; 5 Sudáfrica: sudafricano / sudafricana; 6 Colombia: colombiano / colombiana; 7 Brasil: brasileño / brasileña; 8 Francia: francés / francesa; 9 Polonia: polaco / polaca; 10 Suecia: sueco / sueca; 11 Alemania: alemán / alemana; 12 Canadá: canadiense / canadiense

9

1 Secretaria: Hola, su nombre, por favor.
  Claudia: Sí, me llamo Claudia Pereyra.
  Secretaria: ¿Cómo se escribe su apellido?
  Claudia: Pe-e-erre-e-i griega-erre-a.
  Secretaria: ¿De dónde es usted, señora Pereyra?
  Claudia: Soy argentina.
  Secretaria: Muy bien, esta es su tarjeta.
  Claudia: Gracias.
2 Secretaria: Hola, ¿me dice su nombre?
  Francisco: Sí, me llamo Francisco Rodríguez.
  Secretaria: ¿Puede repetir, por favor?
  Francisco: Fran-cis-co Ro-drí-guez.
  Secretaria: ¿De dónde es usted?
  Francisco: Soy español, de Toledo.
  Secretaria: Vale. Aquí tiene su tarjeta.
  Francisco: Muchas gracias.
3 Secretaria: Buenos días, ¿me dice su nombre?
  Elizabeth: Sí, claro, me llamo Elizabeth Henríquez.
  Secretaria: ¿Puede deletrearlo, por favor?
  Elizabeth: Sí, e-ele-i-zeta-a-be-e-te-hache es mi nombre y hache-e-ene-erre-i-cu-u-e-zeta mi apellido.
  Secretaria: ¿Y de dónde es usted?
  Elizabeth: Soy venezolana.
  Secretaria: Bien, gracias, aquí tiene su tarjeta.
  Elizabeth: Gracias a usted.
4 Secretaria: Buenos días, señor.
  Manuel: Buenos días, me llamo Manuel Jiménez.
  Secretaria: ¿Jiménez con ge o con jota?
  Manuel: Con jota.
  Secretaria: Aquí está. ¿De dónde es usted?
  Manuel: Soy mexicano.
  Secretaria: Muy bien, aquí tiene su tarjeta.
  Manuel: Muchas gracias.

4

Me llamo Manolo García. Soy médico. Soy sevillano, pero vivo en Barcelona. Trabajo en un hospital. Mi mujer se llama Amelia, es profesora y trabaja en un instituto. Ella es catalana. Tenemos dos hijos, Sergio y Elena; los dos son estudiantes. Sergio estudia en la universidad, y Elena, en el instituto.

1

1 ¿De dónde eres?
2 ¿De dónde son ustedes?
3 ¿Cómo te llamas?
4 ¿Quién es este?
5 ¿Dónde vives?
6 ¿Dónde trabaja usted?
7 ¿Dónde viven ustedes?
8 ¿Cómo se llama el marido de Ana?

2

cero – uno – dos – tres – cuatro – cinco – seis – siete – ocho – nueve – diez

4

1 ■ María, ¿cuál es tu número de teléfono?
  ● El nueve-tres-seis cinco-cuatro-siete ocho-tres-dos.
  ■ ¿Puedes repetir?
  ● Nueve-tres-seis-cinco-cuatro-siete-ocho-tres-dos.
  ■ Gracias.
2 ■ Jorge, ¿me das tu teléfono?
  ● Sí, es el nueve-cuatro-cinco cuatro-cero-uno ocho-tres-dos.
  ■ Gracias.
3 ■ Marina, ¿cuál es tu número de teléfono?
  ● Mi móvil es el seis-ocho-seis cinco-dos seis-uno tres-seis.
  ■ ¿Y el de tu casa?
  ● Sí, es el nueve-uno cinco-tres-nueve ocho-dos seis-siete.
  ■ Vale, gracias.
4 ■ Información, dígame.
  ● ¿Puede decirme el teléfono del Aeropuerto de Barajas?
  ■ Sí, tome nota, es el nueve-cero-dos tres-cinco-tres cinco-siete-cero.
  ● ¿Puede repetir?
  ■ Sí, nueve-cero-dos tres-cinco-tres cinco-siete-cero.
  ● Gracias.
5 ■ Información, dígame.
  ● ¿Puede decirme el teléfono de la Cruz Roja?
  ■ Sí, tome nota, es el nueve-uno-cinco-tres-tres-seis-seis-seis-cinco.
  ● ¿Puede repetir?
  ■ Sí, nueve-uno-cinco-tres-tres-seis-seis-seis-cinco.
6 ■ Información, dígame.
  ● Buenos días, ¿puede decirme el teléfono de Radio-taxi?
  ■ Tome nota, por favor. El número solicitado es: nueve-uno-cuatro-cero-cinco-uno-dos-uno-tres. El número solicitado es: nueve-uno-cuatro-cero-cinco-uno-dos-uno-tres.

7

once – doce – trece – catorce – quince – dieciséis – diecisiete – dieciocho – diecinueve – veinte

9

quince – uno – cuatro – veinte – ocho – siete – tres – once – cinco – seis – catorce – nueve – dieciocho – diecinueve – dos – trece – dieciséis

10

En un gimnasio

Felipe: ¡Buenas tardes!

Rosa: ¡Hola!, ¿qué deseas?

Felipe: Quiero apuntarme al gimnasio.

Rosa: Tienes que darme tus datos. A ver, ¿cómo te llamas?

Felipe: Felipe Martínez.

Rosa: ¿Y de segundo apellido?

Felipe: Franco.

Rosa: ¿Dónde vives?

Felipe: En la calle Goya, número ochenta y siete, tercero izquierda.

Rosa: ¿Teléfono?

Felipe: Seis-ocho-seis cero-cinco-cinco cero-nueve-siete.

Rosa: ¿Profesión?

Felipe: Profesor.

Rosa: Bueno, ya está; el precio es...

4

- Hola, yo me llamo Francisco. Vivo en Getafe, un pueblo de Madrid. Estudio en la universidad de mi pueblo. Mi número de móvil es seis-cero-ocho dos-nueve-uno cero-siete-seis.

- Hola, me llamo Claudia y soy músico. Toco la guitarra. Soy argentina, pero vivo en Barcelona desde hace cinco años. Mi número de celular es seis-cero-nueve tres-cuatro dos-seis siete-uno.

- Yo soy Elizabeth. Soy de un pueblo, pero vivo en Caracas porque soy informática y trabajo en la universidad. Mi número de celular es seis-ocho-cero dos-tres-uno siete-seis-cinco.

- Yo soy Manuel, soy mexicano. Vivo en Málaga porque trabajo en una escuela de música, soy profesor de niños de ocho años. Mi celular es el seis-cero-seis dos-uno-cero tres-dos-nueve.

3

1 Martínez; 2 Romero; 3 Marín; 4 Serrano; 5 López; 6 Moreno; 7 Jiménez; 8 Pérez; 9 Díaz; 10 Martín; 11 Vargas; 12 García; 13 Díez

UNIDAD 2 - Familias

2

- Hola, soy Jorge. Estoy casado y esta es mi familia. Mi mujer se llama Rosa y tenemos dos hijos: Isabel, de doce años, y David, de diez. Vivimos en Fuenlabrada, cerca de Madrid. Soy profesor de autoescuela.

- Yo soy Luis. No tengo hermanos, no tengo novia, estoy soltero y vivo en Sevilla con mis padres y mi abuela. Mi padre se llama Manuel y tiene cincuenta y ocho años. Mi madre se llama Rocío y tiene cincuenta y seis años. Mi abuela tiene setenta y nueve años y se llama Carmen. Soy estudiante de Medicina.

2

1 las tres y media; 2 las dos menos cuarto; 3 las diez y cuarto; 4 la una; 5 las doce y cinco; 6 las ocho menos veinte; 7 las doce y diez; 8 las cinco y media; 9 la una menos cuarto

7

veintiuno – veintidós – veintitrés – veinticuatro – treinta – treinta y uno – cuarenta – cincuenta – cincuenta y dos – sesenta – setenta – ochenta – noventa – cien – ciento tres – ciento once – doscientos / doscientas – trescientos / trescientas – cuatrocientos / cuatrocientas – quinientos / quinientas – seiscientos / seiscientas – mil – dos mil – cinco mil

8

a dos; b veinticinco; c cincuenta; d treinta y siete; e trescientos veintitrés; f ciento treinta y cinco; g ochocientos cincuenta; h mil quinientos ochenta y nueve; i mil novecientos noventa y ocho; j mil novecientos ochenta y cinco

9

1 ▪ Hola, Clara, ¿cuántos años tienes?

• Doce.

2 ▪ ¿Cuánto son las naranjas?

• Uno con diez.

3 ▪ ¿Cuánto es el paquete de café?

• Uno treinta.

4 ▪ ¿En qué año nació usted?

• En mil novecientos cuarenta y siete.

5 ▪ Por favor, ¿cuántos kilómetros hay entre Madrid y Barcelona?

• Seiscientos cincuenta.

6 ▪ Por favor, ¿cuánto es el café y la cerveza?

• Tres euros.

7 ▪ Perdone, ¿qué hora es?

• Son las nueve.

8 ▪ ¿Cuántas páginas tiene el libro?

• Quinientas cuarenta páginas.

9 ▪ ¿Cuántos días tiene el mes de marzo?

• Treinta y un días.

10 ▪ ¿Dónde vives?

• En la calle Alcalá, número sesenta y seis.

1 y 2

teléfono – lápiz – ventana – hotel – profesor – hermano – familia – música

3

profesora – español – café – gramática – mesa – vivir – hablar – médico – autobús – Pilar – alemán – brasileña – familia – libro – examen

6

1 Dos de los actores españoles más famosos en el mundo son Penélope Cruz y su marido, Javier Bardem. Mónica, la hermana de Penélope, y Pilar y Carlos, la madre y el hermano de Javier, también son actores.

2 La familia Alcántara celebra la primera comunión de su hija María. Junto a la niña están sus padres, Antonio y Merche, sus hermanos, Carlitos y Toni, y su abuela, Herminia.

3 Mario Vargas Llosa, Premio Nobel de Literatura, y su mujer, Patricia, tienen dos hijos, Álvaro y Gonzalo, y una hija, Morgana. Mario y Patricia son primos.

5

Salidas:

- El tren Altaria exprés, situado en el andén número tres, con destino Zaragoza, efectuará su salida a las quince treinta y cinco.

- El tren Talgo, con destino Málaga, situado en el andén número seis, saldrá dentro de quince minutos, a las catorce treinta.

- El AVE, con destino Sevilla, sale a las diez en punto, del andén número dos.

Llegadas:

- El AVE, procedente de Sevilla, tiene su llegada a las veinte horas, en el andén número once.

- El Alaris, procedente de Valencia, efectuará su entrada por el andén número ocho, a las dieciséis cuarenta y cinco horas.

- El tren Talgo, procedente de Vigo, hará su entrada en el andén número cuatro, a las diecisiete horas.

UNIDAD 3 - El trabajo

4

▪ Y tú, Juan, ¿a qué hora te levantas?

• Bueno, yo me levanto pronto, a las siete, más o menos, me ducho rápidamente y tomo un café.

▪ Y tu mujer, ¿a qué hora se levanta?

• Pues a las siete y media. Ella también se acuesta más tarde, sobre las doce de la noche.

▪ ¿Y tus hijos?

• Ellos cenan, ven un poco la tele y se acuestan temprano, a las diez.

▪ ¿Y a qué hora se levantan?

• A las ocho, porque entran al colegio a las nueve.

▪ ¿Y los días de fiesta también os levantáis todos temprano?

• ¡Ah, no!, ni hablar, los domingos nos levantamos más tarde, a las diez, porque, claro, también nos acostamos más tarde.

2

- Lucía es técnico de sonido y trabaja en una emisora de radio, la Cadena Día. Tiene veintinueve años y no está casada. Vive en Valencia, y habla inglés y francés perfectamente. Todos los días trabaja de ocho a tres, menos los sábados y domingos. Los días laborables se levanta a las siete y sale de casa a las siete y media. Va al trabajo en autobús. Los sábados por la noche siempre sale con sus amigos a cenar y a bailar, por eso se acuesta muy tarde, a las tres o las cuatro de la madrugada.

- Carlos es bombero. Trabaja en el ayuntamiento de Toledo. Vive en un pueblo cerca de Toledo y va al trabajo en tren. Tiene treinta y cuatro años, está casado y no tiene hijos. Trabaja en turnos de veinticuatro horas, un día sí y otro no. Si trabaja el sábado o el domingo, después tiene dos días libres. Siempre se levanta muy temprano, a las siete o las ocho de la mañana, por eso normalmente no sale por las noches. Cena a las diez, después ve la tele y a las once y media se acuesta.

3

1 ■ Philip, ¿qué se toma en Alemania para desayunar?
● Hay muchas cosas. Algunos toman pan con mantequilla y salami y un huevo. Otros toman muesli con yogur. Y té, mucha gente toma té. Algunos toman café, claro.
2 ■ Claudia, ¿qué se desayuna en Argentina?
● Bueno, generalmente tomamos tostadas con dulce de leche o medialunas. Y para beber, mate, té o café con leche.
3 ■ Elizabeth, ¿qué se desayuna en Venezuela?
● La gente toma café con leche y arepas rellenas de queso o carne mechada, o también empanadas de harina de maíz.
4 ■ Manuel, ¿qué desayuna la gente en México?
● En México desayunamos fuerte. El platillo central suele ser huevos con frijoles y tortillas, y para beber, jugo de frutas.

6

Camarera: Buenos días, ¿qué desean?
Madre: Yo quiero un desayuno andaluz, ¿y tú, hijo?
Hijo: Yo solo quiero un zumo.
Madre: Toma algo más: un bollo o una tostada.
Hijo: No, mamá, solo quiero un zumo de naranja.
Madre: Bueno, pues un andaluz y un zumo de naranja.
Camarera: Muy bien.

1

gato – agua – gota – guerra – guion

3

1 guapo; 2 cigarrillos; 3 guitarra; 4 gafas; 5 pagar; 6 guerra; 7 Guatemala; 8 goma

4

■ Adriana, tú eres argentina, ¿no?
● Sí, claro.
■ ¿Y de qué ciudad?
● De Buenos Aires.
■ Cuéntame un poco los horarios habituales... Por ejemplo, ¿a qué hora os levantáis?
● Nos levantamos muy temprano, a las cinco y media o las seis, porque el trabajo está lejos... y, bueno, normalmente empezamos a trabajar a las ocho.
■ ¿Y hasta qué hora trabajáis?
● Hasta las seis... sí, en las oficinas hasta las seis de la tarde. Paramos una hora para almorzar, entre las doce y las dos: comemos algo rápido y, ya, volvemos al trabajo.

■ ¿Y en las tiendas?
● Bueno, el horario de las tiendas es distinto: abren también sobre las ocho de la mañana y cierran a las ocho o las nueve de la noche, y no cierran al mediodía, ¿eh?, no es como en España. Ah, y los bancos también tienen otro horario: abren a las diez y cierran a las tres, y por la tarde ya no abren.
■ Y una cosa, Adriana: cuando la gente sale del trabajo, ¿va directamente a su casa?
● Sí, sí, eso es lo normal, vamos a casa. Tenemos otra hora más para volver, claro. Cenamos entre las ocho y las nueve y media; y no nos acostamos tarde, sobre las once más o menos.
■ Oye, ¿y los niños?, ¿qué horario tienen en el colegio?
● Estudian solo o por la mañana o por la tarde: creo que es de ocho a doce en el turno de la mañana y de una a cinco los que estudian por la tarde.

6

- Susana se levanta normalmente a las siete, se ducha, se viste, desayuna algo rápido y sale de casa a las ocho. Su trabajo empieza a las nueve. Primero va a la compra y después prepara la comida para unas treinta personas.
- Emilio se levanta tarde porque no trabaja por la mañana. Desayuna un café con leche y dos tostadas mientras lee el periódico. Come pronto porque sale de casa a las tres. Va a la universidad en tren. Sus clases empiezan a las cuatro y terminan a las ocho de la tarde.
- Jaime se levanta muy temprano porque prepara el desayuno de sus hijos y los lleva al colegio. Después va en coche a su trabajo, que está a las afueras de la ciudad. Trabaja en unos grandes almacenes atendiendo a los clientes. Su horario es de nueve de la mañana a cinco de la tarde. Cuando sale del trabajo, recoge a los niños y los lleva a casa.

UNIDAD 4 - La casa

2

Rosa y Miguel tienen una tienda de ropa en el centro de Madrid. Tienen dos hijos y viven fuera de la ciudad en un chalé adosado con dos plantas.
En la planta baja hay un recibidor, una cocina con un pequeño comedor, un salón grande y un aseo.
En la planta de arriba hay tres dormitorios y un cuarto de baño. La casa tiene también un jardín pequeño.

4

■ ¿Cuántas plantas tiene tu casa?
● Dos. Es un chalé adosado.
■ ¿Dónde está el cuarto de baño?
● En la planta de arriba. Y en la planta baja hay un pequeño aseo.
■ ¿Tiene comedor?
● Sí, uno pequeño, al lado de la cocina.
■ ¿Cuántos dormitorios tiene?
● Tres, están todos en la planta de arriba.
■ ¿Tenéis garaje?
● No, aparcamos en la calle.

5

■ Manu, ¿cómo es tu piso?
● Mi piso es muy pequeño, porque vivo solo. Tiene un dormitorio, un salón comedor pequeño, una cocina y un cuarto de baño, que está al lado del dormitorio.
■ ¿Nada más?
● Bueno, tengo una terraza grande y ahí tengo muchas plantas.

8

primero-primera / segundo-segunda / tercero-tercera / cuarto-cuarta / quinto-quinta / sexto-sexta / séptimo-séptima / octavo-octava / noveno-novena / décimo-décima

10

1 ■ ¿Sería tan amable de indicarme dónde vive el señor González?
● En el cuarto derecha.
■ Muchas gracias.
2 ■ ¿Me podría decir dónde vive doña Manuela Rodríguez?
● En el segundo izquierda.
■ Gracias.
3 ■ ¿En qué piso vive la señorita Herrero?
● En el tercero A.
4 ■ ¿Me podría enviar este paquete a mi domicilio, en la avenida del Mediterráneo, cinco, sexto B?
● Por supuesto, señor Acedo.
5 ■ ¿El señor de la Fuente, por favor?
● Es el inquilino del ático.
■ Muchas gracias.
6 ■ ¿Vive aquí la señorita Laura Barroso?
● Sí, es la hija de los vecinos del quinto E.

6

■ Inverpiso, ¿dígame?
● Buenos días. Llamo para informarme sobre los chalés anunciados en el periódico de ayer.
■ Con mucho gusto. Mire, el primero está en la calle Alonso Cano. Tiene ciento treinta y ocho metros cuadrados. Hay cuatro dormitorios en la planta de arriba y dos baños, calefacción individual y ascensor.
El segundo es una casa de tres plantas en Torrelodones. Tiene trescientos once metros cuadrados, con jardín y piscina. Hay un salón comedor y un baño en la planta baja, y cinco dormitorios y otros dos cuartos de baño en la planta superior. El garaje es para dos coches.
El tercer chalé está en una urbanización en Pozuelo. Tiene trescientos metros cuadrados construidos en dos plantas. Tiene un amplio salón y cuatro dormitorios. Hay un cuarto de baño en cada planta. Los materiales son de primera calidad. Hay piscina comunitaria.

2

Recepcionista: Parador de Córdoba, ¿dígame?
Carlos: Buenas tardes. ¿Puede decirme si hay habitaciones libres para el próximo fin de semana?
Recepcionista: Sí. ¿Qué desea, una habitación individual o doble?

Carlos: Una doble, por favor. ¿Qué precio tiene?

Recepcionista: Cien euros por noche más IVA.

Carlos: De acuerdo. Hágame la reserva, por favor.

Recepcionista: ¿Cuántas noches?

Carlos: Viernes y sábado, si es posible.

Recepcionista: No hay problema.

Carlos: ¿Hay piscina?

Recepcionista: Sí, señor, hay una.

Carlos: ¿Admiten tarjetas de crédito?

Recepcionista: Sí, por supuesto.

4

Recepcionista: ¿Me dice su nombre y apellidos, por favor?

Carlos: Carlos López Ruiz.

Recepcionista: ¿Dirección?

Carlos: Calle de Velázquez, número sesenta y seis, en Madrid.

Recepcionista: ¿Número de teléfono, por favor?

Carlos: Nueve-uno-cinco-seis-nueve ocho-ocho cuatro-tro-siete.

Recepcionista: Entonces, una habitación doble para las noches del viernes y sábado, ¿no es así?

Carlos: Sí, correcto, muchas gracias. Hasta el viernes.

Recepcionista: ¡Hasta el viernes! Buenas tardes.

5

Los patios

Los patios son lugares comunes para encontrarse, para jugar, para charlar, para descansar. Hay muchos tipos de patios: el patio del colegio, donde los niños pasan el recreo; el patio andaluz, en el sur de España, lleno de macetas con flores, que en verano protege del calor y es un lugar de descanso y de conversación.

En las ciudades tenemos el patio interior, donde la gente tiende la ropa y habla con los vecinos de enfrente.

En Hispanoamérica muchas casas coloniales conservan bellos patios llenos de plantas tropicales que ayudan a pasar las horas más calurosas del día.

En la ciudad andaluza de Córdoba, el segundo fin de semana de mayo se celebra el Festival de los Patios. Los vecinos abren sus casas, y vecinos y turistas pueden visitar sus hermosos patios.

1

queso – cuarto – cuanto – quinto – casa – comedor

7

Entrevistador: Patricia, ¿dónde pasas tus vacaciones?

Patricia: Tengo una casa en Valencia, en el mar Mediterráneo. Es un chalé de dos plantas, con un jardín muy bonito, y está cerca de la playa. Siempre paso unos días allí con mi familia y algunos amigos.

Entrevistador: ¿Con quién vas este año?

Patricia: Este año voy con mi marido, nuestro amigo Juan y su mujer. La casa no es muy grande. Tiene solo dos dormitorios, pero es muy cómoda, con dos cuartos de baño, una cocina pequeña y un salón precioso con vistas al mar. También tiene una terraza para tomar el sol.

Entrevistador: ¿Coméis en casa?

Patricia: No, normalmente comemos en algún restaurante cerca de la playa. Por la noche hacemos la cena en casa y cenamos en el jardín.

Entrevistador: Bueno, pues os deseamos unas buenas vacaciones.

UNIDAD 5 - Comer

2

Camarero: Buenos días, señores, ¿qué quieren comer?

Juan: De primer plato nos pone un gazpacho para mí y una ensalada para la señora.

Camarero: ¿Y de segundo?

Teresa: ¿La carne es de ternera?

Camarero: Sí, señora. Es muy buena.

Teresa: Entonces, me pone carne con tomate. ¿Y tú, Juan?

Juan: Yo prefiero unos huevos con chorizo.

Camarero: ¿Y para beber?

Juan: El vino de la casa y una botella de agua, por favor.

Camarero: Muy bien, muchas gracias.

(...)

Camarero: Y de postre, ¿qué desean?

Juan: Para mí, unas natillas.

Teresa: Pues, yo quiero arroz con leche.

Camarero: Enseguida se lo traigo, muchas gracias.

7

Hoy comemos fuera

En España, comer es algo que nos gusta compartir con amigos, familiares, compañeros de trabajo o estudio. Para la mayoría de los españoles es más importante la compañía que el tipo de restaurante. Al escoger un restaurante preocupa la higiene, la calidad de los alimentos y la dieta equilibrada. En un país como España, con un clima agradable, de largos días con luz, el comer o cenar fuera de casa es un hábito extendido.

Es durante los días festivos cuando más se visitan bares y restaurantes.

3

Mi marido y yo siempre tenemos problemas para decidir qué hacer durante el fin de semana. A mí me gusta ir al cine los viernes y, el sábado por la mañana, ir de compras. Por el contrario, a mi marido le gusta pasar el fin de semana en el campo: andar, hacer deporte... El domingo por la tarde, lo que más le gusta es ver un partido de fútbol por la tele, mientras yo navego por internet. Durante la semana lo tenemos más fácil: a los dos nos gusta leer y oír música en nuestro tiempo libre.

4

Queridos amigos y amigas, hoy vamos a hacer un delicioso refresco de plátano. Bueno, ¿estáis preparados? Aquí van los ingredientes: en primer lugar vamos a necesitar tres plátanos y un vaso de leche.

Como el refresco será solo para cuatro personas, vamos a utilizar únicamente un cuarto de taza de azúcar y un cuarto de taza de zumo de limón y, por último, media cucharadita de vainilla y ocho cubitos de hielo. Y ahora, para su elaboración, sigue las siguientes instrucciones:

- Primero, pela los plátanos y córtalos en rodajas.
- A continuación, mezcla los plátanos, la leche, el azúcar, el zumo de limón y la vainilla en una batidora.
- Añade los cubitos de hielo y mézclalos con los otros ingredientes.
- Reparte la mezcla en cuatro vasos.
- Finalmente, invita a tus amigos.

9

¿Productos de América?

Bienvenidos a nuestro programa. Hoy hablamos del origen de algunos productos. Atención a las siguientes informaciones:

1 Casi todas las piñas de los supermercados son de Hawái, pero los cultivadores originales son los indios de Cuba y Puerto Rico.

2 Es cierto que hay una variedad de cacahuete (también llamado en América "maní") que procede de Georgia, pero sus cultivadores originales son los indios de Bolivia y Perú.

3 Los italianos preparan una deliciosa salsa de tomate, pero los cultivadores originarios del tomate son los indios de México.

4 Ecuador es el mayor productor de plátanos del mundo, pero los plátanos son de origen africano.

5 Brasil es el mayor productor de café del mundo, pero el café también es de origen africano.

6 Las patatas son muy populares en Irlanda, pero proceden originalmente de Perú y Ecuador.

1

Isabel – vivir – vino – bueno – Ávila – viajar – botella – abuelo – hablar – muy bien – beber

2

1 ¿Dónde vive Isabel?

2 Cuba es una isla preciosa.

3 Vicente es abogado y trabaja en Sevilla.

4 Las bebidas están en la nevera.

5 Este vino es muy bueno.

6 Valeriano viaja mucho en avión.

7 Beatriz es de Venezuela.

8 Esta bicicleta es muy barata.

9 En Valencia no hay bastantes ambulancias.

10 La abuela de Bibiana está muy bien.

4

1 Yo vivo en Barcelona.

2 Este batido tiene vainilla.

3 Camarero, un vaso de agua, por favor.

4 A Isabel le gusta viajar y bailar tangos.

5 Beber agua es muy bueno.

6 ¿Este verano vas de vacaciones?

7 La botella está vacía.

8 El banco abre a las nueve.

Transcripciones

5

1 bala; 2 poca; 3 barra; 4 beso; 5 vino; 6 pera; 7 vaca; 8 pisa; 9 pata; 10 pez

2

Buenos días, hoy hablamos de comida, española y también de otros países hispanos. Hay platos españoles e hispanoamericanos conocidos en todo el mundo. De México, el guacamole, que se hace con aguacate; de Perú es muy famoso el cebiche, pescado con limón, un plato que también se come en Ecuador y en otros países sudamericanos; las exquisitas arepas de Colombia y Venezuela, que se comen con jamón, con queso y otros muchos ingredientes; y como no, la famosa carne asada típica de Argentina, una de las mejores carnes del mundo. En España hay un pescado y un marisco excelente en todo el país, pero especialmente en la zona de Galicia. También en el norte, en Asturias, el plato más popular es la fabada. En Andalucía, donde en los meses de verano las temperaturas son extremadamente altas, tienen una sopa fría, a base de verduras, llamada gazpacho. Por último no podemos olvidar uno de los platos más internacionales, la paella, típico de la costa mediterránea, y, en especial, de Valencia.

UNIDAD 6 - El barrio

3

Sergio: Perdone, queremos dos billetes de metro, por favor.
Taquillero: ¿Sencillos o de diez viajes?
Sergio: Sencillos. ¿Cuánto es?
Taquillero: Diez euros.
Sergio: Aquí tiene. Perdone, ¿puede decirme cómo se va de Aeropuerto a Goya?
Taquillero: Pues desde aquí es muy fácil: tome usted la línea ocho hasta Mar de Cristal y cambie a la línea cuatro dirección Argüelles. La décima estación es Goya.
Sergio: Muchas gracias. ¿Puede darme un plano del metro?
Taquillero: Sí, claro, tome.

1

1 ■ Carlos, siéntate en tu sitio, por favor.
  ● Voy.
2 ■ Venga a mi oficina, quiero hablar con usted.
  ● Ahora mismo.
3 ■ Pon la televisión, empieza el partido de fútbol.
  ● Vale.
4 ■ Cierra la ventana, por favor, tengo frío.
  ● Sí, claro.
5 ■ Tome la primera a la derecha y despúes siga recto.
  ● Muchas gracias.
6 ■ Tuerce a la derecha, esa es la calle.
  ● Ah, sí, tienes razón.
7 ■ Haz los deberes antes de cenar.
  ● Vale, mamá.

8 ■ Por favor, siéntese. Ahora le atiende el doctor.
  ● Bien, gracias.
9 ■ ¿Dígame?
  ● ¿Está el señor López?
10 ■ Alejandro, contesta al teléfono, por favor.
  ● Vale.

4

Jefe: Señor Hernández, ¿puede venir a mi oficina, por favor?
Sr. Hernández: Sí, claro.
(...)
Sr. Hernández: ¿Se puede?
Jefe: Sí, sí, pase y cierre la puerta, por favor... Siéntese. Tengo una reunión en el banco el próximo lunes y necesito la información de su departamento.
Sr. Hernández: No hay problema, está todo preparado.
Jefe: Bien, haga el informe antes del lunes y ponga todos los datos de este año.

1

rey – arroz – perro – reloj – rojo – arriba – caro – pero – diario – soltera – para

2

1 Roma; 2 Inglaterra; 3 Perú; 4 cartero; 5 compañero; 6 rosa; 7 pizarra; 8 terraza; 9 armario; 10 ruido

3

Pilar: ¿Sí?
Andrés: ¡Hola, Pilar! Soy Andrés.
Pilar: ¡Hola, Andrés! ¡Cuánto tiempo sin hablar contigo!
Andrés: ¿Qué tal te va por Palma de Mallorca?
Pilar: ¡Estoy muy contenta! Es una ciudad muy tranquila.
Andrés: ¿No te aburres en una ciudad tan pequeña?
Pilar: No, hay muchas cosas interesantes para conocer y, además, está el mar. Y me encantan sus calles antiguas y su catedral.
Andrés: ¿Cómo te mueves por la ciudad?
Pilar: Vamos de un lado a otro en autobús o en bicicleta, porque normalmente hace muy buen tiempo.
Andrés: ¿Conoces a mucha gente ya? ¿Tienes amigos?
Pilar: Comparto piso con dos compañeras de clase y tenemos un grupo de amigos de la universidad.
Andrés: ¿Y qué haces los fines de semana?
Pilar: Depende... Algunos sábados quedamos para hacer deporte, otros días conocemos pueblos y playas de la isla... Es todo muy bonito. Bueno, ¿y cuándo vienes a Palma para pasar unos días en mi casa?
Andrés: Ahora tengo mucho trabajo en la oficina, pero el mes próximo puedo pedir unos días y coger un avión para estar contigo y conocer tu nueva casa. ¿Qué te parece?
Pilar: ¡Fantástico! ¡Nos vemos el mes que viene!

UNIDAD 7 - Salir con los amigos

2

Madre: ¿Sí, dígame?
Pedro: ¿Está Antonio?
Madre: Sí, ¿de parte de quién?
Pedro: Soy Pedro.
Madre: Enseguida se pone.
(...)
Antonio: ¿Pedro?
Pedro: ¡Hola, Antonio! ¿Qué haces?
Antonio: Nada, estoy viendo la tele.
Pedro: ¿Vamos al cine esta tarde?
Antonio: Venga, vale, ¿y qué ponen?
Pedro: Podemos ver la última película de Almodóvar, ¿no?
Antonio: ¡Estupendo! ¿Cómo quedamos?
Pedro: ¿A las siete en la puerta del metro?
Antonio: No, mejor a las ocho. ¿De acuerdo?
Pedro: Vale. ¡Hasta luego!

5

Alicia: ¿Sí?
Begoña: ¿Está Alicia?
Alicia: Sí, soy yo.
Begoña: ¡Hola! Soy Begoña.
Alicia: ¡Hola! ¿Qué hay?
Begoña: Voy a salir de compras esta tarde. ¿Vienes conmigo?
Alicia: Lo siento, hoy no puedo, tengo mucho trabajo. Mejor mañana.
Begoña: Bueno, vale. ¿A qué hora? ¿Te parece bien a las seis?
Alicia: Sí, de acuerdo.
Begoña: Hasta mañana.

Ángel: ¿Diga?
Rosa: Hola, Ángel, soy Rosa.
Ángel: ¿Qué tal?
Rosa: Muy bien. Te llamo porque Luis y yo vamos a ir el sábado a Segovia, ¿por qué no te vienes?
Ángel: ¿El sábado? No puedo, lo siento, es el cumpleaños de mi madre y voy a comer a su casa. Pero podemos quedar después, ¿Por qué no venís a casa a cenar?
Rosa: ¿A cenar el sábado? Vale, se lo digo a Luis y si podemos, luego te llamo. ¿Te parece bien?
Ángel: Estupendo. Espero tu llamada.
Rosa: Hasta luego.
Ángel: Hasta luego.

9 🎧 66

■ Inmobiliaria Miramar. Buenos días.
● Buenos días. ¿Puedo hablar con el señor Álvarez?
■ No está en este momento. ¿Quiere dejarle un recado?
● Sí, por favor, dígale que la señora García va mañana a las once y media para hablar con él.
■ Muy bien, le dejo una nota.
● Muchas gracias. Adiós.
■ Adiós.

4 🔘 67

1 ■ Rosa, ¿qué estás haciendo?
● ¿Ahora mismo? Estoy peinándome porque voy a salir.
2 ■ ¡Luis, al teléfono!
● ¡No puedo, estoy duchándome!
3 ■ Niños, ¿qué hacéis?
● ¡Nada, mamá, nos estamos lavando las manos!
4 ■ ¡Qué ruido hacen los vecinos!
● Sí, están levantándose ahora porque salen de viaje.
5 ■ ¡Hola! ¿Está Roberto?
● Sí, pero está afeitándose, llama más tarde.
6 ■ ¿Y Clara? ¿Dónde está?
● En el baño, está duchándose.
7 ■ Joana, ¿qué haces?
● Me estoy pintando para salir.
8 Pero hija, ¿todavía te estás vistiendo? Vas a llegar tarde al colegio.
9 ■ ¿Está libre el baño?
● No, Jordi se está bañando.
10 ■ ¿Qué haces, Laura?
● Me estoy pintando para salir, enseguida acabo.

1 68

¡Vale! - ¡Hasta luego! - ¡Qué bien! - ¡Qué va! - ¡Qué bonito! - ¡Es horrible! - ¡Estupendo!

2 69

1 Claudia Schiffer es bastante fea, ¿verdad?
2 ¿Vamos al cine?
3 Mira qué bolso me he comprado.
4 Tengo un piso nuevo.
5 Bueno, me voy, ¡hasta luego!
6 Hay paella para comer.
7 Mira la tele, cuántas noticias malas.

3 🔘 70

1 ■ Claudia Schiffer es bastante fea, ¿verdad?
● ¡Qué va!
2 ■ ¿Vamos al cine?
● Vale.
3 ■ Mira qué bolso me he comprado.
● ¡Qué bonito!
4 ■ Tengo un piso nuevo.
● ¡Qué bien!
5 ■ Bueno, me voy, ¡hasta luego!
● ¡Hasta luego!
6 ■ Hay paella para comer.
● ¡Estupendo!
7 ■ Mira la tele, cuántas noticias malas.
● ¡Es horrible!

2 🔘 71

1 Tiene el pelo largo y rubio. Tiene los ojos verdes. ¡No tiene bigote!
2 Tiene los ojos oscuros. Tiene el pelo corto y la barba negra.

3 🔘 72

1 Es moreno y tiene los ojos oscuros. Es alto y lleva bigote. Tiene el pelo corto y liso.
2 Es delgada y baja. Tiene el pelo largo y rubio y los ojos azules. No lleva gafas.
3 Es alta y delgada. Tiene el pelo moreno, corto y liso y los ojos oscuros.
4 Es bajo y gordo. Tiene los ojos claros y es calvo. Es mayor y lleva bigote y barba. Sí lleva gafas.

12 🔘 73

Guantanamera, guajira guantanamera
Guantanamera, guajira guantanamera
Yo soy un hombre sincero, de donde crece la palma
Yo soy un hombre sincero, de donde crece la palma
Y antes de morirme quiero, echar mis versos del alma
Guantanamera, guajira guantanamera
Guantanamera, guajira guantanamera
Mi verso es de un verde claro, y de un jazmín encendido
Mi verso es de un verde claro, y de un jazmín encendido
Mi verso es un ciervo herido,
que busca en el monte amparo
Guantanamera, guajira guantanamera
Guantanamera, guajira guantanamera
Guantanamera, guajira guantanamera
Guantanamera, guajira guantanamera
Por los pobres de la tierra, quiero yo mi suerte echar
Por los pobres de la tierra, quiero yo mi suerte echar
El arrullo de la tierra, me complace más que el mar
Guantanamera, guajira guantanamera
Guantanamera, guajira guantanamera
Guantanamera, guajira guantanamera
Guantanamera, guajira guantanamera
Guantanamera, guajira guantanamera

3 🔘 74

■ Estamos en la Gran Vía de Madrid y vamos a entrevistar a algunas personas para saber qué hacen los fines de semana. ¡Hola! Buenas tardes, ¿eres de Madrid?
● Sí, claro.
■ ¿Puedes contarnos qué haces normalmente los fines de semana?
● Pues los viernes salgo con mis amigas. Normalmente comemos unas tapas en algún bar o alguna terraza y luego vamos a la discoteca.
■ ¿Y los sábados?
● Pues los sábados, a veces voy al cine por la tarde con mis amigas.
■ ¿Y por la noche también sales con tus amigas?
● Sí, comemos unas tapas y luego vamos a la discoteca...
■ ¿Otra vez?
● Sí, nos gusta mucho bailar. Normalmente me acuesto muy tarde y el domingo duermo casi todo el día.
■ Muchas gracias.

■ ¡Hola! Buenas tardes, ¿es de Madrid?
● Sí, claro.
■ ¿Puede contarnos qué hace normalmente los fines de semana?

● Pues los viernes por la noche siempre voy al cine con mi novia. Los sábados juego al fútbol por la mañana y por la noche, normalmente, vamos al teatro o a un concierto.
■ ¿Y los domingos?
● Pues normalmente vamos al Rastro por la mañana, después tomamos un aperitivo y luego nos vamos a algún restaurante a comer... A mi novia también le gusta ir a los museos de Madrid y muchos domingos vamos a ver exposiciones: al Museo del Prado, al Museo Reina Sofía...

UNIDAD 8 - De vacaciones

3 🔘 75

Luis: Buenos días, perdone, ¿puede decirme cómo se va a la plaza de Armas?
Recepcionista: Sí, ¡cómo no! Es muy sencillo. Al salir del hotel gire a la derecha y siga todo recto hasta el final de la calle. Entonces gire a la izquierda. Siga recto y tome la tercera calle a la derecha, la avenida del Sol, y al final de la avenida, a la derecha, se encuentra la plaza de Armas.
Luis: Entonces, salgo a la derecha, giro a la izquierda y en la avenida del Sol giro a la derecha. La plaza está al final de la calle, a la derecha, ¿no es así?
Recepcionista: Así es, señor. En quince minutos puede estar allí.
Luis: Muchas gracias. ¡Hasta luego!

5 🔘 76

1 Desde el hotel
■ Perdone, ¿puede decirme dónde está la farmacia más cercana?
● Tome la calle Santo Domingo, gire la primera a la derecha y, después, la primera a la izquierda.
2 Desde la iglesia de San Francisco
■ Por favor, ¿puede decirme cómo se va a la iglesia de Santa Teresa?
● Gire a la izquierda, después tome la segunda calle a la derecha, la calle Nueva Alta, y al final de la calle, a la izquierda, está la iglesia de Santa Teresa.

6 🔘 77

Ayer, como todos los días, me levanté a las siete de la mañana y me preparé para ir a trabajar. Al llegar al hospital, como todos los días, atendí a los enfermos de la consulta y visité a los pacientes de las habitaciones. A las cinco de la tarde, como todos los días, acabé de trabajar y pasé por el supermercado a comprar algo para la cena. A las seis de la tarde llegué por fin a casa, muy cansada, como todos los días. Pero ayer fue diferente: mi marido me invitó a un concierto y después cenamos en mi restaurante favorito.

8 🔘 78

Soledad: ¡Oh, qué semana tan terrible! Por fin de vuelta a casa.
Federico: ¿Dónde estuviste?

Soledad: El lunes fui a Caracas para visitar a un cliente, y el martes volamos, mi jefe y yo, a Madrid, para firmar un contrato. Estuvimos dos días de conversaciones y, al fin, lo logramos. El jueves nos fuimos a Río de Janeiro para cerrar unos asuntos pendientes y hoy por fin vuelvo a casa. Y a ti, ¿cómo te fue?

Federico: Hasta el martes estuve acá, en Buenos Aires, preparando cosas para irme al día siguiente a Lima, donde estuve trabajando dos días y aproveché para conocer esa linda ciudad. Hoy fui al aeropuerto a primera hora y terminé mi semana de trabajo. ¿Qué te parece si cenamos juntos?

Soledad: Me parece muy buena idea.

1

1 Llevó gafas.
2 Comió mucho.
3 ¿Abro la puerta?
4 ¿Hablo más alto?
5 Entro a las ocho.
6 Trabajo por la mañana.
7 Estudió Geografía.

6

En Toledo, durante los meses de invierno (diciembre, enero y febrero) hace mucho frío y algunas veces nieva. Durante la primavera (marzo, abril y mayo), suben las temperaturas y empieza a hacer buen tiempo. En verano (junio, julio y agosto), hace mucho calor: todos los días hace mucho sol y las temperaturas son muy altas. En otoño (septiembre, octubre y noviembre), los días son más cortos, el cielo está nublado y a veces llueve y hace viento.

8

Estas son las condiciones meteorológicas para el día de hoy en algunas zonas de Sudamérica. Tenemos tiempo inestable en Brasil, con fuertes lluvias y bajas temperaturas, sobre todo en el interior, donde tenemos ocho grados centígrados en estos momentos. En la zona del Caribe, por el contrario, hace muy buen tiempo, con mucho sol y una temperatura de veintidós grados centígrados. Tiempo inestable en la República de México, con fuerte viento y cielo nublado. La temperatura en la capital es de quince grados centígrados. Próximo parte meteorológico en una hora.

2

Hay tantas cosas que ver en España que es difícil seleccionar las más interesantes. Si empezamos por el noroeste, podemos visitar Galicia y allí pararnos a ver Santiago de Compostela y su catedral. Siguiendo por la costa cantábrica, el viajero descubre paisajes inolvidables de praderas suaves y pequeñas playas entre acantilados. Desde el País Vasco nos dirigimos a Cataluña, que mira al Mediterráneo. La ciudad catalana más importante es Barcelona, puerto de mar y punto de partida y llegada de barcos de todo el mundo. Podemos seguir nuestro viaje por la costa mediterránea para disfrutar de las ciudades y playas que llegan hasta Almería y Málaga, en Andalucía. También la comunidad andaluza merece una atención especial por los restos de cultura árabe que se pueden ver en Córdoba, Sevilla y Granada, especialmente. Desde Córdoba podemos ir a Madrid, atravesando la Mancha, la tierra de Don Quijote, el héroe de Cervantes. Aquí acaba nuestro viaje por esta vez, pero aún nos quedan por ver muchos otros paisajes y ciudades.

8

Hoy estamos en Barcelona, junto al mar Mediterráneo. Es la segunda ciudad más poblada de España. Barcelona fue la sede de la Exposición Universal de 1929 y de los Juegos Olímpicos de 1992. Muchos personajes importantes nacieron en esta ciudad:
- Montserrat Caballé, una de las grandes cantantes de la ópera, nació en Barcelona en 1933. En 1987 conoció al líder del grupo de rock Queen, Freddie Mercury. Con él grabó la canción «Barcelona», el himno oficial de las Olimpiadas de 1992.
- Joan Miró, pintor y escultor catalán mundialmente conocido, nació en Barcelona a finales del siglo XIX. En el Museo Joan Miró de Barcelona están las mejores obras de este artista. Murió en Palma de Mallorca en 1983.
- Joan Manuel Serrat, músico y poeta español, nació en Barcelona en 1943. Es un artista muy querido y admirado en toda España e Hispanoamérica. Entre sus canciones podemos encontrar poemas de grandes poetas como Machado, Lorca, Miguel Hernández o Pablo Neruda.
- Arancha Sánchez Vicario, tenista profesional, nació en Barcelona en 1971. Se convirtió en la número uno del mundo, después de ganar el torneo de tenis de Roland Garros por segunda vez.

5

Sara: El pasado mes de mayo, después de un año de mucho trabajo, tuve quince días de vacaciones. Fui en tren a Galicia y me alojé en un hotel maravilloso. Pasé unos días estupendos yo sola, sin salir prácticamente de la playa.

Lucía: Mi sitio favorito para pasar las vacaciones es la Isla de Capri. Hace veinte años que fui por primera vez. Este verano llegué a la isla en barco, como siempre, para pasar mi mes de vacaciones con un grupo de amigos. Capri no es la misma de hace veinte años, pero sigue siendo única.

Carlos: Tengo muy buen recuerdo de las últimas vacaciones que pasé con mi familia en Atacama, al norte de Chile; está a unos cuatro mil metros de altura. Alquilamos un coche para recorrer toda la zona, uno de los desiertos más secos del mundo, con unas salinas impresionantes. Fueron unas vacaciones memorables.

UNIDAD 9 - Compras

3

Celia: Mira estos zapatos, Álvaro, son preciosos.
Álvaro: No están mal, pero a mí me gustan más aquellos marrones.
Celia: Oiga, ¿cuánto cuestan estos zapatos negros?
Dependiente: Noventa euros.
Celia: ¿Y aquellos marrones?
Dependiente: Ciento quince euros.
Celia: ¿Ciento quince euros? Gracias, tengo que pensarlo.

Álvaro: Celia, ¿qué te parece esta camisa para mí?
Celia: Bien, ¿cuánto cuesta?
Álvaro: Solo sesenta euros. Voy a probármela.
Celia: Vale.
(...)
Celia: A ver... pues no te queda bien, ¿eh?
Álvaro: No, no, a mí tampoco me gusta.
Celia: Toma, pruébate esta chaqueta, es muy bonita.
Álvaro: A ver... Pues sí, parece que me queda bien, ¿no?
Celia: Muy bien, es tu talla.
Álvaro: ¿Cuánto cuesta?
Celia: Ciento veinte euros, es un poco cara.
Álvaro: Bueno, pero me gusta mucho, me la llevo.

Celia: Mira, ¿qué te parece este gorro? ¿Cómo me queda?
Álvaro: Bien, muy bien.
Celia: Pues me lo llevo, solo cuesta cinco euros.
(...)
Dependiente: Una chaqueta y un gorro de lana... Muy bien, son ciento veinticinco euros. ¿Pagan en efectivo o con tarjeta?
Álvaro: En efectivo.

3

- Mi amiga Bárbara es estudiante y le gusta mucho la ropa informal. Hoy lleva unos pantalones verdes, una camiseta roja y un collar a juego con los pendientes.
- Javier es el novio de Bárbara y también es estudiante. Hoy lleva unos pantalones vaqueros, una camisa de lunares y unas zapatillas marrones.
- Ignacio es informático, trabaja en una gran empresa de informática. Le gusta vestir bien. Para la reunión de hoy se ha puesto una camisa azul, muy elegante, y una corbata blanca. También lleva un traje oscuro.
- Marta trabaja de diseñadora en unos grandes almacenes y casi siempre lleva ropa elegante. Hoy lleva un vestido verde y unos zapatos blancos.
- Charlie es el primo de Bárbara y es fotógrafo. Hoy lleva unos pantalones rojos, una camisa blanca y unas playeras amarillas.

1

jamón - jugar - rojo - julio - joven - gimnasia - jefe - jirafa - geranio - genio - gato - goma - agua - guerra - guitarra - guapo - águila - Guadalajara - gota

2

gusto – hago – jabón – pagar – hijo

5

Luis: Voy a preparar mi maleta para el viaje, a ver... ¿qué llevo? Mira, estos zapatos están bien, ¿no?

Carla: No, para ir a la montaña, las botas son mejores que los zapatos.

Luis: Tienes razón. ¿Llevo los vaqueros?

Carla: No, para el frío son mejores los pantalones de pana.

Luis: Bueno, llevo los dos y ya está.

Carla: ¿Por qué llevas la maleta azul?

Luis: Pues porque es mejor que la gris, tiene ruedas.

Carla: Yo prefiero la gris, caben más cosas. Toma el paraguas, guárdalo.

Luis: ¿El rojo? No, este es peor que el negro.

Carla: Lo siento, el negro ya está en mi maleta.

1

María: A mí me encanta la ciudad en la que vivo. Es grande, tiene más de tres millones de habitantes y mucha oferta cultural y de ocio. Puedes ir al cine, al teatro, hay varias salas de conciertos, museos y también grandes parques donde relajarte o practicar deportes. Es verdad que es una ciudad ruidosa porque hay mucho tráfico. Otro problema es la contaminación, porque la gente utiliza poco el transporte público (el metro, el autobús...), pero a mí me encanta mi ciudad.

Jordi: Yo vivo en una ciudad pequeña, no llega al medio millón de habitantes y la verdad es que me gusta mucho vivir aquí. No hay una gran oferta cultural, pero tenemos mucha más tranquilidad que en una ciudad grande. Nuestros hijos viven más en contacto con la naturaleza porque hay muchos parques y tenemos la playa muy cerca. Seguro que en el futuro, si nuestros hijos van a la universidad, cambiaremos de ciudad, pero de momento no, este es el mejor lugar para vivir.

UNIDAD 10 - Salud y enfermedad

2

rodilla – pierna – pecho – hombro – brazo – mano – cuello – dedo – cara – oreja – espalda – pie

3

1 A Pedro le duele la cabeza.
2 A Daniel le duelen las muelas.
3 A Carmen le duelen los oídos.
4 A Julia le duele la espalda.
5 A Victoria le duele el estómago.
6 Ana tiene fiebre.
7 A Ricardo le duele la garganta.

4

A Sara: ¡Hola, Ángel!, ¿qué tal estás?
  Ángel: No muy bien.
  Sara: ¿Qué te pasa?
  Ángel: Tengo una gripe muy fuerte.

Sara: ¿Y qué tomas cuando estás así?
Ángel: De momento, nada.
Sara: ¿Por qué no te tomas una aspirina con un vaso de leche con miel y te vas a la cama?
Ángel: Sí, creo que es lo mejor.

B Raúl: ¡Qué mala cara tienes! ¿Qué te pasa?
  Luisa: Me duele muchísimo el estómago.
  Raúl: ¿Por qué no vas al médico?
  Luisa: Sí, voy a ir mañana.
  Raúl: Mira, tómate un té y acuéstate sin cenar.
  Luisa: Sí, creo que es lo mejor.

8

Paciente 1
■ Buenos días, ¿qué le ocurre?
● No me siento muy bien. Creo que tengo la gripe.
■ Tome una aspirina cada ocho horas y beba mucho zumo de naranja.

Paciente 2
■ Buenas tardes, ¿qué problema tiene?
● Me duele la garganta cuando hablo.
■ A ver... No está muy mal, pero tome leche con miel y no hable mucho.

Paciente 3
■ Buenos días, ¿qué le pasa?
● Mire, doctor, me duele mucho el estómago desde hace días.
■ Vaya, pues no tome café, ni fume. Coma frutas y ensaladas. Y tome estas pastillas.

2

Elena y Emilio ya son padres. Su vida cambió cuando, de repente, se encontraron con... dos bebés en los brazos.

Elena: Antes de ser padres teníamos una vida social muy activa: viajábamos, íbamos al cine, salíamos con los amigos, teníamos mucho tiempo libre. Emilio jugaba al *hockey*, yo estudiaba alemán...

Emilio: Ahora todo es distinto. Dedicamos todo nuestro tiempo a Álvaro y Adrián, que son maravillosos.

8

Martina tiene noventa y dos años. Cuando era pequeña no iba a la escuela. Vivía con su madre y sus cuatro hermanos en un pueblo pequeño del sur de España. A los ocho años, ya trabajaba en el campo con su familia: empezaba a las seis de la mañana y acababa a las seis de la tarde. No sabía leer, ni escribir, pero tenía muchas ilusiones y planes para el futuro. A los diecinueve años se casó y tuvo su primer hijo. Los fines de semana iba con su marido a vender las verduras de su huerta en los mercadillos de los pueblos vecinos. Solo los domingos por la tarde descansaban y se reunían con sus vecinos en la plaza del pueblo.

1

alemán – café – teléfono – cantante – árbol – canción – examen – estudiar – ordenador – ventana – periódico – móvil – pintura – música

2

1 Andrés me llamó por teléfono para saludarme.
2 Bárbara trabaja en una empresa de informática en México.
3 Yo estudié decoración en Milán.
4 Antes Raúl vivía cerca de aquí, pero ahora está viviendo en Valencia.
5 Aquí hace más calor que allí.
6 Ella es más guapa que él.
7 Los teléfonos móviles son muy cómodos.
8 Esta casa es más céntrica que tu piso.

5

■ Hoy vamos a hablar con la alpinista Elisa Urrutia. Está en España después de escalar el monte Everest. Elisa, ¿qué planes tienes para la próxima temporada?

● No voy a hacer ninguna escalada el año próximo. La temporada pasada acabé agotada y tengo que darme un poco de descanso. El próximo curso voy a hacer una campaña escolar en el País Vasco. Quiero ir por los colegios y hablar con los chicos y chicas sobre este deporte.

■ ¿Cuánto tiempo vas a dedicar a esta actividad?

● Voy a dedicarme unos tres meses. Después quiero montar un centro de alpinismo y organizar excursiones por la montaña.

■ ¿Y vas a ser una de las instructoras?

● Bueno, ese es mi objetivo. También quiero estar un poco más en casa. El año pasado me casé y creo que es el momento de pensar en organizar mi familia. Ahora estoy esperando mi primer hijo. Va a nacer el próximo otoño y estoy muy ilusionada.

■ ¡Enhorabuena, Elisa! ¡Te deseamos mucho éxito para todos tus planes!

5

Mánager: Este disco suena muy bien, es mejor que el otro.

Escorpión 1: Sí, estoy de acuerdo.

Mánager: Va a estar en las tiendas en la próxima semana y creo, amigos míos, que va a tener gran futuro.

Escorpión 2: ¿Y cuándo nos vamos de gira?

Mánager: En diciembre vamos a dar unos conciertos por toda España y, si todo va bien, nos vamos a Sudamérica.

Escorpión 3: ¿Y vamos a salir en televisión?

Mánager: Claro, y también tengo preparada nuestra propia página web.

Escorpión 1: ¿Cuándo vamos a ir a Barcelona?

Mánager: En septiembre, antes de empezar la gira. ¿A que no sabéis quién va a cantar con vosotros?

Escorpión 2: Ni idea.

Mánager: Jennifer Lopez.

Escorpión 3: ¡Vaya sorpresa!

Primera edición, 2014
Segunda edición, 2014

Produce: SGEL – Educación
Avda. Valdelaparra, 29
28108 Alcobendas (Madrid)

© Francisca Castro, Pilar Díaz, Ignacio Rodero, Carmen Sardinero
© Sociedad General Española de Librería, S. A., 2014
Avda. Valdelaparra, 29, 28108 Alcobendas (Madrid)
© Salvador Dalí. Fundación Gala – Salvador Dalí. VEGAP. Madrid, 2006. Pág. 103
© Sucesión Pablo Picasso. VEGAP. Madrid, 2006. Pág. 103
© Wilfredo Lam. VEGAP. Madrid, 2006. Pág. 103

Coordinación editorial: Jaime Corpas
Edición: Yolanda Prieto
Corrección: Belén Cabal
Diseño de cubierta e interior: Verónica Sosa
Fotografías de cubierta: Shutterstock
Maquetación: Leticia Delgado

Ilustraciones: Pablo Torrecilla
excepto: Maravillas Delgado (Unidad 2, pág. 28 marcadores de lugar. Unidad 5, pág. 60. Unidad 8, pág. 86. Apéndice gramatical unidad 2, pág. 122 marcadores de lugar), Shutterstock (Unidad 2, pág. 31. Unidad 3, pág. 41. Unidad 5, pág. 62 Restaurante La Estancia y Vida Natural. Unidad 9, pág. 97. Unidad 10, pág. 113 imágenes de fondo de página web de ejercicio 3 e imagen de ejercicio 5. Referencia gramatical, unidad 8, pág. 134 imágenes de las estaciones del año) y Thinkstock (Unidad 5, pág. 62 Restaurante peruano La llama y Restaurante la Alpujarra. Unidad 9, pág. 98 colores).

Cartografía: SGEL (páginas 12, 13, 92)

Fotografías: **BIRGITTA FRÖHLICH:** Unidad 6: pág. 67. **CORDON PRESS:** Unidad 1: pág. 15; pág. 23 fotos 1 y 4. **Unidad 2:** pág. 33 foto 3. Unidad 6: pág. 72. Unidad 9: pág. 103 todas las fotos excepto fotos 2 y 5. **DREAMSTIME:** Unidad 1: pág. 16 foto A; pág. 22; pág. 80 ejercicio 3 foto D. **HÉCTOR DE PAZ:** Unidad 1: pág. 16 foto D. Unidad 3: pág. 40 fotos desayunos A-H. Unidad 4: pág. 47; pág. 48 fotos cocina y baño. **LATINSTOCK:** Unidad 4: pág. 48 foto salón. **THINKSTOCK:** Unidad 1: pág. 17 foto 3. Unidad 2: pág. 29 ejercicio 6. Unidad 3: pág. 41 carta Cafetería Teide. Unidad 4: pág. 51; pág. 52 fotos A, B y C. Unidad 5: pág. 59 foto Olga; pág. 61; pág. 63 mapas. Unidad 6: pág. 73. Unidad 7: pág. 77; pág. 82. Unidad 8: pág. 90 fotos a, b, d y e; pág. 91 foto superior; pág. 92. Unidad 9: pág. 102. Unidad 10: pág. 106 fotos de Ana, Victoria y Carmen de ejercicio 3; pág. 109; pág. 110 fotos 1, 2, 4 y 6; pág. 112; pág. 113 todas las fotos del ejercicio 3 excepto foto de cabecera de página web de Pirineos. **THOMAS HOERMANN:** Antes de empezar: pág. 8. Unidad 1: pág. 16 fotos A, B y C; pág. 21. Unidad 2: pág. 19 foto del ejemplo. Unidad 3: pág. 39 foto centro; pág. 41 ejercicio 5. Unidad 9: pág. 95; Unidad 10: pág. 107. **SHUTTERSTOCK:** Resto de fotografías, de las cuales, solo para uso de contenido editorial: Antes de empezar: pág. 11 foto B (Cenk Ertekin / Shutterstock.com), foto D (criben / Shutterstock.com), foto J (Kobby Dagan / Shutterstock.com) y foto N (Igor Bulgarin / Shutterstock.com); pág. 14 foto 1 (Luciano Mortula / Shutterstock.com) y foto 5 (Ignacio Soto / Shutterstock.com). Unidad 1: pág. 23 foto 2 (Featureflash / Shutterstock.com), foto 3 (Maxisport / Shutterstock.com), foto 5 (Joe Seer / Shutterstock.com), foto 6 (s_bukley / Shutterstock.com), foto 7 (Helga Esteb / Shutterstock.com) y foto 8 (s_bukley / Shutterstock.com). Unidad 2: pág. 33 foto 1 (Featureflash / Shutterstock.com), pág. 34 (Toniflap Shutterstock.com). **Unidad 3:** pág. 42 (Iakov Filimonov / Shutterstock.com). **Unidad 5:** pág. 57 (Tupungato / Shutterstock.com). **Unidad 6:** pág. 65 (Tupungato / Shutterstock.com); pág. 67 ejercicio 7 (Jorg Hackemann / Shutterstock.com); pág. 70 (Kushch Dmitry / Shutterstock.com); pág. 71 foto autobús (Tupungato / Shutterstock.com) y foto calle (Deymos / Shutterstock.com). **Unidad 7:** pág. 80 ejercicio 4, Salma Hayek (Featureflash / Shutterstock.com) y Antonio Banderas (Featureflash / Shutterstock.com). **Unidad 8:** pág. 91 foto inferior (Naaman Abreu / Shutterstock.com). **Unidad 9:** pág. 103 foto 5 (PSHAW-PHOTO / Shutterstock.com).

Audio: Crab Ediciones Musicales y Nordqvist Productions España SL

ISBN: 978-84-9778-373-6 (versión internacional)
978-84-9778-834-2 (versión internacional sin CD)
978-84-9778-785-7 (versión Brasil)
978-84-9778-829-8 (versión Japón)

Depósito legal: M-35911-2013
Printed in Spain – Impreso en España

Impresión: Talleres Gráficos Edelvives